瑜伽行詳説

即身成佛觀法入門

大下大圓・著

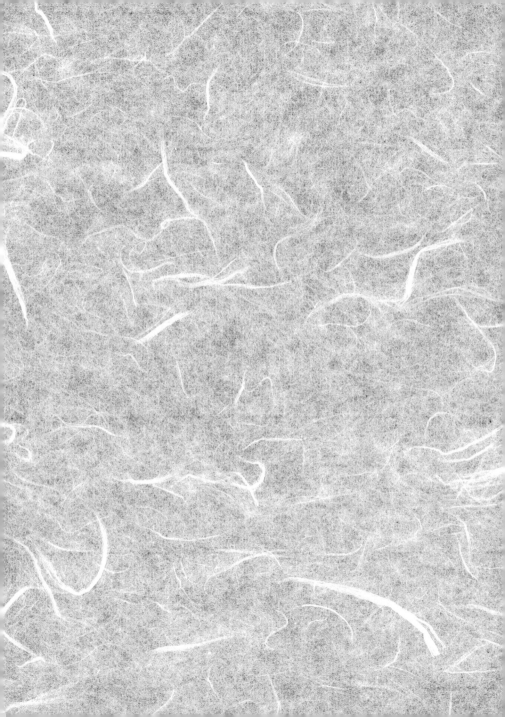

八宗論大日如来像

絹本著色・鎌倉時代・善集院／提供：高野山霊宝館

空海が宮中清涼殿にて他宗の高僧と議論した際、真言密教の教えである「即身成仏（人がその身のままで仏になることができる）」を証明するため、自ら真言密教の中心尊である大日如来に化身した。本画はその時の空海の姿を描いたものである。

月輪中に蓮華座に坐し、智拳印を結ぶ金剛界大日如来の姿で描かれているが、頭は通例の宝冠ではなくターバンが巻かれている。また、頭上に北斗七星を配する珍しい構図である。

（霊宝館図録より引用）

＊本文17頁参照

瑜伽行詳説

即身成佛觀法入門

巻頭言

『即身成仏観法入門』の上梓に寄せて

高野山大学名誉教授
文学博士　高木訷元

佐伯直真魚《さえきのあたいまお》、後の空海は大学明経道での所定の課程を修得しながらも、当時、知識階層の間で流行していた仏典の解読に心うばわれ、遂には教養の學としての域を越えて、そこに説かれている道こそ、自らの真に生き抜くべき道と空海には思えてきた。かくて更に「還源への道」を求めつづけて、「岐《ちまた》に臨んで幾度か泣いた」空海も、遂に「此の秘門」つまり真言秘密の法門に出会い得た。しかし天下の秀才にして、なお「文に臨んで心昏《くら》し」といった苦い経験の果てに入唐留学を願うことになる。

唐都長安の青龍寺恵果和尚に師事し、真言秘法を余すところなく受法し畢《おわ》った空海に、師主恵果は早期の帰国を促し、この秘法を「以て国家に奉じ、

正誤表

下記の記述に誤りがありました。
お詫びして訂正いたします。

〈本文63頁終りから2行目〉
×菩提即身　↓　○菩提即心

〈本文108頁8行目〉
×五千百七十万余件　↓　○五千百七十余件

〈本文171頁終りから6行目〉
×A・グルーゲンヴィル
○A・グッゲンビュール＝クレイグ

〈引用文献一覧259頁33：〉
×A・グルーゲンヴィル・グレイグ
○A・グッゲンビュール＝クレイグ

〈216頁写真上のキャプション〉
×岩手県気仙沼市　↓　○宮城県気仙沼市

天下に流布して蒼生の福《さいわい》を増せ」と勧告する。それを受けて唐の朝廷への帰国願いのなかで、自らが受け学んだ真言の秘法について空海は次のように端的直截に述べている。

「此の法は則ち仏の心、国の鎮《しずめ》なり。氛《わざわい》を払い祉《さいわい》を招く摩尼《まに》、凡を脱《まぬが》れ聖に入る墟徑《きょけい》なり」と。つまり真言の秘教は仏法の核心であるとともに、社会を安泰ならしめる福祉の教えである。つまり、ありとしあらゆる災害《わざわい》を取り除き、人々に福祉《さいわい》を意のままに齎《もた》らし得る教えなのだ。その福祉を実現し得ること自体が、実にはそのままに、とりもなおさず煩悩を離れ、本来の淨《きよ》らかな在りようにおいてある聖なる悟りへと直結する最も近道なのであると云うこと。

その内実を、空海の著作に自らの瑜伽観法の実践を加味することで確証し得たのが、畏法弟大下大圓師による、この度の撰述である。

弘法大師空海の秘法を社会生活における自他不二の実践へと導いてくれた労作に対して、心からなる敬意を表し、祝意を捧げたいと思う。

はじめに

高祖弘法大師空海さま（以下「大師」）は、我々末弟に対して「本尊の三昧を観じ、五相を入観して早く大悉地を證すべし」（性霊集巻第九）と諭《さと》され、具体的な「即身成仏」への修行階梯を示し下された。

僭越ながら本書の目的は、大師伝来の教戒を受法した志ある僧尼に、瑜伽行修練の手引きとして、広く活用して頂くことを切に願って著したものである。

著者は、若くして高野山親王院中川善教前官御坊の室に入り、行住坐臥においてて直《じか》に常用経典や声明をはじめ、真言行者として四度加行、伝法灌頂、諸尊法の伝授を受け、勧学会初年目・二年目・三年目を講讃する諸縁を得て、学修灌頂に入壇し、高野山伝燈大阿闍梨への手引きを賜った。一生涯を律僧として過ごされた師僧から賜った厳格なご指導には、言葉には尽くせない伝法指南への感謝と仏恩を深く感じている。

高野山大学では、仏教学（インド哲学、初期仏教学）を高木訷元先生に学び、密教と阿字観法を松長有慶先生に、また種智院大学名誉教授の山崎泰廣大阿闍梨様からは「阿字観印可」の伝授を授かった。他にも多くの碩学教授に教えを賜ったことは法幸の極みである。

親王院における一人だけの四度加行時には、ゆったりと流れる高野山の時空間で、観想・瞑想に専念することができ、その高野山での修行後は、初期仏教の伝統を重んじるスリランカ国の僧侶養成学校へ留学する機会を得て修行し、サマタ・ヴィパッサナー瞑想の修練に励んだ。

後に高野山大学・大学院でスピリチュアルケア学、臨床宗教学等の教鞭をとるご縁を頂き、また高野山専修学院では、実践的密教福祉論を講義する機会を頂き、幾ばくか後進のために指導をすることができた法縁に深く感謝している。

高野山の修行から約五十年間、ひたすら自行として観法・瑜伽行の道を探索してきたが、同時に臨床宗教を実践しながら、京都大学こころの未来研究センターで「瞑想の臨床応用」を研究し、心理学・心身医学・大脳生理学への知見を、医療系・福祉介護系のケア提供者の瞑想実践へとつなげてきた。

その実証成果は、すでに著者の研究論文（後述）で明らかにしているが、特に著者が京都大学で開発した瞑想療法としての「臨床瞑想法」が、医学研究のツールとして、二〇二一年の日本学術振興会の科学研究論文に採択された（NO：21K07344）。この臨床研究は、主に和歌山県立医科大学附属病院で行われる予定になっている「認知機能低下高齢者に対する瞑想療法を用いた医学研究」（後述）に繋がっている。

このような医学研究の対象となっている「臨床瞑想法」を、本書では瑜伽行法として採用している。特に現代の医科学などの文献研究と実証的知見を概観し、顕教・密教の瞑想法を基に、瑜伽行の綜合化として、独自の瞑想メソッド「四種の瑜伽行法」を明示した。従って、本書は著者の四十余年にわたる仏教・密教修習と、臨床における実証研究との集大成でもある。

凡《およ》そ真言行者の本懐は瑜伽行である。密教瑜伽法は現代の用語では密教瞑想であり、統合的瞑想であるといえよう。（拙著「瞑想療法」「臨床瞑想法」参照）

但し、本書のすべてが密教の総合的文献研究の成果ではないことを断っておきたい。本書はあくまでも瑜伽行を中心とした私的研究であり、実修の手引書である。詳しくは仏教・密教の専門書に訊ねて頂きたい。著者自身、日々に行法次第を行ずる上で、修法とは単なる事相としての作法に限られるものではなく、まさに即身成仏への階梯でもあることを深く信じている。ただし浅学のため、ややもすれば経論の読み違い等があるかもしれない。もしも越三昧耶の罪があるとすれば、それはすべて著者自身が負うところである。

大方の行法次第は、大法立・中法立・小法立に分類され、三密行による「入我我入・正念誦・字輪観」を基本としている。しかし、それらの諸次第を一座の行法で修法しつつも、即身成仏観法としての瑜伽三昧に充《あ》てるだけの十分な時間的余裕がないのが現実である。

ここで提示する『即身成仏観法』私案は、行法中の瑜伽三昧を補うものとして、いずれの密教流派にも応用できるよう、汎用性あるものとして試案化した。東密であれ、台密であれ、已達行者はそれぞれの師資相伝の伝法印信を授かっているはずである。すなわちそれぞれの四度加行、受明・伝法灌頂の内儀を遵守したうえで、本書で紹介する瞑想法を、諸流の行法に加えて実修されることを推奨したい。

本書の巻頭言の玉稿を、恩師高木訷元博士から拝領したことは、著者にとって生涯忘れ得ぬ法幸である。齢九十を召されてなお悠々矍鑠たるそのお姿からは、若き日の弁舌さわやかな先生のご講義の情景が彷彿とし、その何ものにも代えがたい御人徳が匂い立つかのようである。心から御礼を申し述べたい。

本書の執筆に当たっては、そのほかにも、高野山内外の数名の碩学のご意見やご指南を仰いだ。敢えてここでの御芳名の紹介は控えさせていただくが、この紙面をもって諸大徳に厚く御礼を申し上げたい。

日本密教はチベット密教とは異なった伝播経緯があり、特に大師やその後の祖師大徳によって洗練・統合化された深淵な悟りへの教えである。

我ら末資は、大師の誓願を新たにして、現世に四種曼荼羅の密厳浄土を顕現すべく、日々に精進して常住瑜伽三昧の境地を体得し、即身成仏の本懐と済世利民の誓いを果たす使命があると信じてやまない。

恭しく高祖大師をはじめ、先師大徳の御前に頓首礼拝したてまつる。

令和三年　夏安居の候

飛騨千光寺　大下大圓和南

【凡　例】

○大正新脩大蔵経から引用した経論文の原漢文は〈大正新脩大蔵経引用経論一覧〉として巻末に掲載した。

○著者の私訳になる訓読文については『新国訳大蔵経』『国訳一切経』『国訳秘密儀軌』『続国訳秘密儀軌』等を参考にして試訳した。

○その他の引用文献も参考文献と共に巻末に掲げた。

○引用文については必ずしも原文のままではなく、適宜に省略し、要約した部分もある。

【第四章】瞑想瑜伽の生化学・心身医学的知見

【第一章】

即身成仏観法

◎即身成仏観法次第

一座行法の散念誦了って念珠を置く

次焼　香

次即身成仏観法

最極秘印言（灌頂秘印）

成仏秘印　両部大日（智拳印・法界定印）

オン　バザラダトバン　アビラウンケン

定印のまま直に瑜伽三昧に入る

われ大毘盧遮那仏と成って

秘密荘厳心に住せり

＊瑜伽三昧については第二章で詳説

観法了って　金一丁

取念珠・摺念珠（祈念）・置念珠

次焼　香　後供養等に移る

◎本観法の基本理念

本観法は、仏教・密教瞑想と脳化学・心理学・精神医学等との統合化をもって「即身成仏」の実修を目指すものである。従って本書は、著者の四十余年にわたる仏教・密教修習《しゅじゅう》と臨床における実証研究の集大成でもある。

そもそも〈仏教〉という言葉には「仏の教え」と「仏に成る教え」という二つの解釈がある。成仏とは、仏陀・釈迦牟尼世尊の悟りの境地であり、その解脱の道を専《もっぱ》ら、弟子らが体現することにある。

釈尊が示した仏法（ブッダ・ダルマ）とは三法印・四法印で説明される。三法印とは「諸行無常」、「諸法無我」、「涅槃寂静」であり、四法印はそれに「一切皆苦」を加える。この四法印を諦観し瞑想して成仏を目指すのが、すべての仏教徒の目的であるといえよう。

その成仏の種類には、永い年月に亘り修行する「遠劫《おんごう》成仏」と、速やかに自心を悟って成仏する「即身成仏」とがあることはよく知られている。

即身成仏については、『大日経』（『略示七支念誦随行法』）に、

等引（瑜伽三昧）に専注せよ。

これを以て三業を浄むれば、悉地は速やかに現前す。（私訳）

とある。本書において著者は、瞑想瑜伽行に専念して「即身成仏」を目指す、具体的な観法の理論と実修についての見解を示した。

◎即身成仏と両部体系

即身成仏を我が国で体現されたのは言うまでもなく、弘法大師そのお方である。大師は入唐求法で請来した『大日経』、『金剛頂経』、『菩提心論』など多くの密教経典や儀軌を典拠として即身成仏の本懐を明らかにされた。

公的な場所での「即身成仏」を証明する出来事は、世にいう「清涼殿での即身成仏体現」である。それは、弘仁四年正月に、当時の嵯峨天皇と顕密各宗の大徳の面前で、大師自らが即身成仏を体現証明された慶事である。（本書口絵参照）

『弘法大師伝』には、その様子が具に記してある。

大師はその實證を顕さんが為めに、南方に向って結跏趺坐し、大日の智拳印を結び、口の内に密呪を唱へ、暫く三摩地の観念に入り給ふ、と見るまに、面門忽ちに開け、見るく内に金色の大日如来の御姿となり、頂には五智の宝冠を現し、座下には微妙の蓮華を湧出し、御身よりは五色の光を放ち、殿上殿下の風光一時に変じて、さながら浄土の光景を目の当たり現出せしかば、天皇は驚かせ給ひ、玉座を下りて御拝あらせられ、百官百司は頭を垂れて伏し拝み、南北諸宗の高僧は皆な地に跪いて稽首せられ、即身成佛の深義こゝに確立し（以下略）。（1）＊253頁【第一章】注記1参照

この歴史的事象としての即身成仏の体現を、真言末徒は信仰とし、また目標としている。

この時の大師は行法修法中ではなく、多くの僧侶・官司の眼前にて、まさに即時において

実修されたのである。これはあくまでも伝承として伝えられた逸話ではあるが、いずれにしろ即身成仏の時間的体現性が、速疾に成就されることを物語っているといえよう。

大師が修行禅定の道場として高野山を開創されたことは歴史の語る事実であるが、そうした大師の強い思いを語る文書が、御入定三年前の天長九年に記された『高野山万燈会願文』(『続遍照発揮性霊集巻第八』)にある。

> 金峯(金剛峯寺)高く聳《そび》えて安明(須弥山)の培塿《ほうろう》(丘)を下し晛《み》、玉毫《ぎょくごう》(仏の額の白毫)光を放ってたちまちに梵釈《ぼんしゃく》の爀日《かくじつ》(梵天と帝釈天との放つ光明)を滅《け》さん。濫《らん》字(梵字ラン字)の一炎たちまちに法界に翻《ひるがえ》って病を除き、質多《しった》(思慮分別する心)の萬華咲《えみ》を含んで諸尊眼を開かん。(2)*( )内は引用者

金剛峯寺は、梵天と帝釈天の智慧の光輝く聖地であるが、それにも増して金胎両部大日の清浄なる光明は、悟りの心を広め、諸仏の照覧をもたらすことが揚々と語られている。大師の高野山開創への並々ならぬ思いを、末徒は深く噛みしめるべきであろう。

「金剛峰寺」の名前の由来となった金剛智三蔵訳『金剛峯楼閣一切瑜伽瑜祇經』には、次の文がある。(大蔵経①)*242頁【大正新脩大蔵経引用経論一覧】に原漢文掲載。

> 金剛自性清浄所成の密厳華厳を以て尽し、諸大悲を以て行願円満し、有情の福智資糧の成就する所なり。五智光明を以て常に三世に住し、平等智心は暫くも息むことなし。その時、普賢金剛手等十六大菩薩は、定より起って虚空に遍照し、金剛自性清浄光明を成辦す。同声に偈を以て讃じて曰く。

大日金剛の峯は 微細にして自然に住し 光明は常に遍照して 清浄なる業を壊さず
この讃を説き已って、時に金剛手菩薩は、右手の五峯金剛を以て虚空に擲ぐるに
寂然一体として、還《ふたた》び手中に住す。（私訳）

とあり、大日如来の住む金剛の峯は、仏の光明が常に遍く照らし、清浄なる業は壊することはないと、理智不二の金胎両部の奥義が説かれている。

大師研究の第一人者で大師の書誌を綿密に考究された高木訷元師は、大師がいかに瑜伽行を重視されていたかを、さまざまな視点から跡づけ、密教の宗教的実践は瑜伽をおいてほかにないとし、「瑜伽は世界の実相の在り方を示しているとともに、その実相を自覚する手段でもあります。真言密教が一名『瑜伽宗』と呼ばれるのも、そのためです。この瞑想によって、絶対者の神秘的はたらき（三密）と、自己のすべてのはたらき（三密）とが、たがいに感応道交（加持）するところに、仏の世界が顕れるのです」と説明している。（3）

まさに高野山は「定」という瑜伽の道場としてふさわしい環境と風格を保持する、尊い環境であり、聖地なのである。

『即身成仏義』をわかりやすく解説された松長有慶師は、恵果は不空の『金剛頂経』により、金胎両部の密教が即身成仏の教えの源泉であることを十分認識していたことを詳しく論述し、さらに、即身成仏の「即」とは、時間的な意味にとどまらず、空間的にも同一体であるという意味に理解されるとして、即身成仏の時空的包摂性を明示している。（4）

また『大毘盧遮那成佛神變加持經』にはこうある。（大蔵経②）

世間の三妄執を越えて出世間の心が生ず。謂く是の如く唯蘊無我を解せよ。根と境界とは修行を淹留す。業煩悩の株杌と無明の種子の十二因縁を生ずるを抜き、建立の宗等を離れよ。是の如きの湛寂は一切外道の能く知らざる所にして、一切の過を離れたりと先佛は宣説したまえり。（私訳）

この『大日経』の現代語訳として松長師は

「六十心などの世俗的な三種の誤った捉われの心を、瑜伽行によって超越したところに、出世間の悟りの心が生まれる。（中略）この世界は五蘊のみが存在するが、個我は存在しないと思い込み、六種の感覚器官、六種の認識対象、六種の認識領域などの存在に固執して修行を滞らせている。人間の業や煩悩の残骸である無明の種子が原因となり、十二因縁を生じる迷いを解消し、誰が作ったかといった議論を離れた、このような出世間の悟りの心は静寂で深遠、あらゆる外道が知りえない、その境地は一切の過失を離れていると、諸仏がその昔に仰せられた。」（5）

と説明し、瞑想瑜伽行が単なる修行の手段ではなく、悟りの世界へ繋ぐ諸仏のメッセージであると明かしている。

また大師の『即身成仏義』には、

真言法の中にのみ即身成仏するが故に、是の三摩地の法を説く。（6）

とあり、成仏を果たすには、三密瑜伽の瞑想が必須であるとしている。また

真言者とは心大なり。（7）

と説いて、五大を体現して瑜伽に入る真言行者の意義を述べ、地・水・火・風・空の五大と識大を統合して

無障無礙にして互相に渉入相応し、常住不変にして同じく実際に住せり。故に頌に曰く、六大は無礙にして常に瑜伽と曰う。無礙といっぱ渉入自在の義なり。常とは不動不壊等の義なり。瑜伽とは翻じて相応と云う。相応渉入は即ちこれ即の義なり。（8）

と、仏と行者との相互渉入による瑜伽行の境地を示して、三密行による五相成身観などの具体的な観法の内実と「即身成仏」の真実證を明らかにされた。

さらに、密教において伝授阿闍梨から伝法を授かった弟子らは、どのような修行をすべきであるかについては、不空三蔵の訳とされる『大毘盧遮那成佛神變加持經／略示七支念誦随行法』に詳しく載っている。（大蔵経③）

等引（瑜伽三昧）に専注せよ。これを以て三業を浄むれば、悉地は速やかに現前す。聖なる力に加持せられて、行願相応するが故に、諸有の修習を楽《ねが》う者は師に随って受学し、明を持し本教を伝えて、三昧耶を越えること無く、勤策して無間に修し、蓋（五蓋）および薫（五辛）、酔（酒）を離れ、諸学処を順行すれば、悉地は力に随って成ず。我れ大日経に依て、略して瑜伽の行を示す。殊勝の福を修證して、諸の有情を普く潤すべし。（私訳）

悟りを願わんとする行者は瑜伽行に専念すべしとある。そして戒律を守り、煩悩や刺激ある食べ物や飲酒を離れて修行することが大事であり、明師にしたがって教えを学び、大日経を拠り所にして瑜伽行を修めることが、世の人の為にもなることを教えている。

まさに瑜伽観法は、真言行者の重要な修行なのである。それゆえ大師は、密教を学び師資相承する弟子等に、三密修行によって悟りに至る重要性を次のように諭された。

諸の金剛弟子等に語《つ》ぐ、夫れ頭を剃り、染て著するの類は我が大師薄伽梵の子なり。僧伽と呼ぶ。（中略）出家の本意を顧て入道の源由を尋ねよ。長兄は寛仁を以て衆を調へ、幼弟は恭順を以て道を問え。賤貴を謂うことを得ず。一鉢単衣にして煩擾を除き、三時に上堂して本尊の三昧を観じ、五相を入観して早く大悉地を證すべし。（9）

まさに弟子らはすべて如来の子であると宣言し、修行する年長者と年少者が互いに助け合って僧伽集団を大事にすること。そしてもっぱら三時（早朝・正午・黄昏時）に堂内に入って本尊との入我我入を成就し、さらに五相成身観を修して悟りを得ることに専念すべしと教戒されている。

このような大師の教えを著者自身が重く受け止めて、本書を編集するに至ったのである。したがって本観法は、流派に限らず、密教相承者のすべてが活用できるように考案した。

例えば基本となる行法次第『十八道』は、中国青龍寺恵果阿闍梨の作にして、高祖大師が相承請来したものとされ、日本に到来して以後、諸流に分かれ発展を遂げて今日にいたっているが、師資相承された諸流の次第は現在に至るまで、それぞれの阿闍梨によって大切に伝授伝法されてきた。

冒頭に記した「即身成仏観法次第」は、東密あるいは台密の諸次第の本旨を損ねることなく、諸尊法次第の中にそのまま、この作法を導入引用できるように考案したものである、したがって、即身成仏観法の瑜伽三昧に入るための印言は、阿闍梨となる秘儀で授かった灌頂秘印を活用していただきたい。

◎即身成仏観法と念誦法

一般に修法には「大法立」「中法立」「小法立」があるが、行法中の正念誦（三昧耶念誦）は、他の入我我入観、字輪観と共に、成仏観法の根幹を成す重要な部分である。

正念誦の語彙は義浄三蔵訳の『金光明最勝王經』に記載があり、善無畏三蔵訳の『念誦結護法』には三昧耶念誦法として、「音声念誦・金剛念誦・三摩地念誦・真実念誦」の四種の念誦法が説かれる。また『秘蔵記』には「蓮花念誦・金剛念誦・三摩地念誦・音声念誦・光明念誦」の念誦法が記載されている。両者に共通するのは「金剛念誦・三摩地念誦・音声念誦」である。同書に

念誦の時、若し散心あらば、出入の息を観じて一法界と為して、我身及び本尊を此の一法界に摂し、又一切の諸法を此の一法界に摂す。然して後に念誦せよ。(10)

とあるように、正念誦のときには、出入の呼吸に集中して、一つの結界された浄界を観想し、心の安定と静寂を確立した後に念誦することが伝えられているのである。

先の五念誦のうちの光明念誦とは、仏の光明を観想念誦しながら三昧に入ることであるが、これらの五種念誦の名は、金剛智三蔵訳の『金剛頂瑜伽中略出念誦經』に金剛薩埵の修行三昧としても登場する。

一方、散念誦は随意念誦や加用念誦とも云われ、不空三蔵訳の『金剛頂一切如來眞實攝大乘現證大教王經卷中』や善無畏三蔵の『蘇悉地羯羅供養法卷上』などに散見し、いずれも正念誦を補う念誦として示されている。ただし念誦の遍数は定まっておらず、最終的には行者の意楽によって念誦するのである。

高祖大師正伝とある『金剛界黄紙次第』にも散念誦の記載はあるが、念誦数量の記入はない。ただ正念誦にあたる「加持念珠法」を修し、「羯磨加持」「字輪観」で

> 五大所成の身となって、即ち煩悩の過患を遠離し遂に𑖀字の理に住して言亡慮絶す。(11)

とあるのみである。

『十八道念誦次第』にも、「本尊念誦」「散念誦」共に真言念誦回数の記載はなく、恵果阿闍梨から伝授された大師の御作と伝える『十八契印』にも、念誦回数の詳しい記載はない。

また散念誦は、東密では正念誦と別立てになっているが、台密では特に別立てせずに正念誦の時に本尊真言の次に加誦する。「散」には「散多・散心・定数」等の意があって、東密

では已達の人は散念誦を略することもあると伝える。

著者の師・中川善教前官の『中院流諸尊通用次第撮要』にも『蘇悉地経』巻中などから引用して、「散念誦の用不は行者の意楽に任す」「儀軌に正しき説なし」と散念誦の回数もその根拠も無いことが明示されている。

したがって本邦の諸流行法次第中にある散念誦は、内容も真言念誦の回数もまちまちである。多くは七反、二十一反、百八反、一千反などを念誦するように伝授される。またはその念誦は阿闍梨の意楽（任意）に任されている。

これらの論拠から、本観法を現在の行法中に組み入れるために、散念誦の回数をやや加減して、瑜伽三昧の時間的余裕を確保することが可能であると考えた。観法時間は阿闍梨の意楽である。ただし、三昧に入るためには、一座に少なくとも三〇分以上の瑜伽瞑想の時間を確保したい。

後述する瑜伽行の説明で明らかにすることではあるが、本観法次第の中での「入我我入観」と「即身成仏観」の違いは、前者が「本尊との一体観想の三密加持」であるのに対して、後者は「曼荼羅（宇宙的）観想」であることである。いずれも観想にかける時間と内容は行者の意楽である。本来は「入我我入すなわち即身成仏なり」と言いたいところだが、現実的な行法作法中では、それぞれを分けて修法することが大事なのである。

また「本尊加持」で大日印言・灌頂の印言を結誦した場合には、「即身成仏観法」に入る時にこの印言を省略して、直《すぐ》に定印で観想に入ってもよい。これについては〈第二章〉で詳しく論述する。

已達者においては、「大師の清涼殿の大事」の如く、大壇もしくは密壇に登壇し、加持念珠、洒水加持をおえて後に、おもむろに本観法のみを修する小法立にすることも可能であると考える。

瑜伽行者は修行の初めから、仏智に至ることは稀である。大師が、修行する弟子に対して「本尊との入我我入観を修し、五相成身観を修して悟りを証明すること」(『性霊集』)と教誡されたように、観法を怠ることなく、三密の行を積みかさねて修行に専念しなくては、仏智の成就は望めないのである。「煩悩即菩提だから、ありのままで菩提を得られるのだ」と密教を曲解する僧尼も散見するが、そんな簡単なものではない。自己の内面をしっかりと省察する訓練無くしては菩提は得られないし、まさにそこにこそ瑜伽行という醍醐味があるのである。

本書で詳述する実際の瑜伽瞑想法では、宗教心理学の視点も踏まえて、自己の煩悩無明を高次の意識から省察して、諦念の境地にいたるための修行を繰り返し、徐々に自内証を覚知できるような修道論を提示している。

本書における実践的な瑜伽行体系を理解するために、伝統仏教の瞑想および即身成仏観想と、著者が心身医学や生化学に基づいて考案した臨床瞑想法の「四種の瑜伽行法」との、相関的な分類を試みると左の図表の如くになる。

即身成仏観法と臨床瞑想法体系

臨床瞑想法	ゆるめる瞑想	みつめる瞑想	たかめる瞑想	ゆだねる瞑想
心身機能	緩和・集中	観察・洞察	生成・促進	融和・統合
心理分類	自己覚知	他者理解	集合意識	トランスパーソナル
唯　　識	六　識	マナ識	アラヤ識 アマラ識	一切法平等 無畏心
瑜伽行法	緩和・集中	観察・洞察	増益・敬愛	即身成仏
仏教分類	初期仏教・部派仏教		大　　乗	金 剛 乗
顕密分類	顕教（声聞・縁覚・如来蔵）		顕　　密	密　　教
仏教瞑想	サマタ（止）	ヴィパッサナー（観）	瑜 伽 行	密教瑜伽行
転識得智	成所作智 妙観察智	平等性智	大円鏡智	法界体性智
五相成身観	通達菩提心	修菩提心	成金剛心	證金剛身 仏身円満
十 住 心	唯 蘊・抜 業（他）		他縁・覚心・一道	極無自性 秘密荘厳心

〈第二章〉

四種の瑜伽行法

◎瞑想瑜伽法の分類

本観法の瑜伽行法（瞑想法）は著者の私案である。

著者がこれまでに積み重ねてきた瞑想中の人の脳波や自律神経、脳内反応などに関する実証的研究、及び心理・精神医学上の知見等は〈第四章〉で詳細に論述するが、本章ではそうした知見を採り入れて著者が開発した〈臨床瞑想法〉の四つのメソッド（体系的な方法）、著者の用語でいえば〈臨床瑜伽法〉を実践的な方面から詳述する。

〈臨床瞑想法〉の有用性については、著者自身がすでに国際論文にも投稿し、また国内の医科学系の研究機関向けにも多数の論文を掲載している。また医科系大学では著者の開発した臨床瞑想法を医学研究のツールとして、「医療者のメンタルヘルス」や「認知症への臨床瞑想法の活用」の面からも研究が進みつつある。（科学研究NO：21K07344）

したがって、本観法の活用を自行に取り入れたいと思われる阿闍梨や瞑想指導者は、既に運用されているこの臨床瞑想法のメソッドを習得することをお勧めする。そして、以下に説明する実習法を参考に履修していただきたいと考えている。

四つの瞑想メソッドとは

①「緩和・集中」瞑想

②「観察・洞察」瞑想

③「生成・促進」瞑想

④「融合・統合」瞑想

であるが、臨床瞑想法の実践方面からはこれを

「ゆるめる瞑想」

「みつめる瞑想」

「たかめる瞑想」

「ゆだねる瞑想」

と名づけた。

また本書では、即身成仏観法との関連から、瑜伽法として次のように四分類した。

①「緩和・集中瑜伽法」＝「ゆるめる瞑想」

②「観察・洞察瑜伽法」＝「みつめる瞑想」

③「増益・敬愛瑜伽法」＝「たかめる瞑想」

④「融合・統合瑜伽法」＝「ゆだねる瞑想」

（即身成仏観法）

本観法の核心は、主に第四番目の「融合・統合瑜伽法」であり、これが「即身成仏観法」に該当するが、ここでは瞑想法の全体を理解していただくために、その大綱を順を追って記述していく。

◎瑜伽行法① 緩和・集中瑜伽法〈ゆるめる瞑想〉

【緩和・集中瑜伽法とは】

瑜伽三昧に入るための前提となる心身の安定を保持する瑜伽法である。まず意図的に息を長く吐くことで副交感神経を優位に導き、脳波をアルファ波やシータ波などに誘導して、脳内神経伝達物質の分泌を促す。

つまり、はじめは緊張によって交感神経が優位のベータ波の状態であっても、意図的な呼吸のコントロールで脳波や自律神経に働きかけ、心身を緊張から弛緩状態へと導くのが〈ゆるめる瞑想〉であり、これが緩和瞑想の基本となる。

そうした呼吸の連続によって、十分に緩和された意識状態から次第に集中型の瞑想に移行することが可能となるのである。

【緩和・集中瑜伽法の作法手順】

① 半跏坐で定印を丹田に置く。眼は軽く閉じる。

② 自然体で緊張感をゆるめ、心を平安に保つ。

③ 口から大きく長く息を吐き切り、次に鼻から無理なくゆっくりと息を吸う。

この呼吸を七回以上、心が落ち着くまで繰り返す。

④心の落ち着きを感じたら、普通の呼吸に戻し、鼻呼吸を継続する。

普礼真言／金剛合掌　オンサラバタタギャタ ハンナマンナノウキャロミ

⑤定印にて瑜伽に入る。瞑想時間は意楽。

⑥集中瑜伽は、サマタ（止）瞑想から目的とする集中瞑想に入る。

⑦終焉は一・二回ほど大きく深呼吸して定を解く。

【具体的作法とその意義】

ここでの念誦は、すべての仏の加護を期待する意味で、普礼の真言を用いる。

「緩和・集中瑜伽法」の導入部分では、身体の緊張感を抜く程度の軽い体操を導入すると、さらなる緊張緩和に役立つ。（登壇時以外の瑜伽法や信徒等への指導時にこれを用いるとよい）

緩和的呼吸法――呼吸だけでゆるめる方法（心身緩和法）

①手足を延ばして横になり、仰臥姿勢のまま身体のすべての力を抜く。

②頭から足までを、吐く息にともなって順番に緩めていく。

頭・額・眼球・鼻・頬・口・顎・首・右肩・左肩・両腕・胸・腹・背中・腰・右足・左足

③緩和した身体を意識しつつ、ゆるめる呼吸を終わって自己の内面世界を意識する。

身体的な弛緩反応と精神的な弛緩反応を別々に観察する。

④起き上がって休息する。

この瑜伽法においては、「調身」「調息」「調心」という古代からの瞑想の三要素を用いることが原則であり、これは時代・国域を越えた普遍的な瞑想のツールである。そしてまさにこれこそが初期仏教における「サマタ＝止」瞑想なのである。

禅堂などでは瞑想の内実よりも、坐禅の作法をことさらに重視する傾向がある。したがって、入門段階で呼吸法による内面の安定を指導しないまま、恰好だけの坐法になっているケースが少なくない。一定の伝統的枠内での指導法の是非をここでとやかく言うつもりはないし、その指導法自体が間違っているとまで断定したくはないが、瞑想の導入部分での意識状態の重要性を確認しないで、威儀や体裁だけを先行させる禅定（瞑想）指導法では、心身的機能に適った瞑想が長続きする保証はないのである。それでも伝統的修行モードであるからと考え、「我慢すること」自体が修行の本分であると解釈して、それが正論のようにまかり通ってしまう。

しかし、本当の瞑想禅定の三昧状態を体験しないままでは、禅堂を出た途端に「我慢すること」だけの禅定を日常で継続したいと思う人は少ないだろう。禅を本分とする宗旨の僧侶でも、修行後の坐禅を毎日継続する人は多くないと聞いている。それはなぜか。

これは著者の一つの仮説ではあるが、瞑想の生理学的なメカニズムについての正しい見識をもたないままで、伝統的・形式的な作法を踏襲して、習慣的に指導している僧堂が現実的に多数を占めるからではないだろうか。

著者も、初めは同じような苦しい坐禅体験を重ねた。その結果、瞑想が仏教や密教の理解に必要なことはわかっていても、どうしても継続して深める瞑想にはならず、かなりのムダな時間を費やすことになった。

瞑想とは何をするのか。その意味と心理的プロセスを明確にしないまま、ただ「文句を言わずに黙って坐れ」というのでは、今日的にはいささか乱暴な話になる。それでも、論理的な判断を遮断して直感的な瞑想に導入する手段としては、頭脳プレイに浸りがちな現代人に対して警鐘を鳴らす意味があり、集中意識を促す一定の効果はあるかもしれない。しかし近年の科学的思考を重視する教育を受けた人々（例えば医師や工学関係者や教師など）を相手にするには、十分な説得力をもたないのである。

現代人に対するアプローチとして、特に医療や福祉教育の現場で瞑想を活用するためには、その専門性を保持し、誇りをもって活動している彼らに理解できる、知的で丁寧な指導法を用いることが必要である。

著者は、京都大学での瞑想関連の文献研究によって、集中瞑想に入るためには何よりもまず緩和的意識状態が重要であることを解明し、そのメカニズムを臨床瞑想法に応用して有用性の高い瞑想法を体得できたのである。爾来二十年以上にわたる研究で、緩和的瞑想法の成果は、初心者であっても即日に発揮できることを、実証的に確認した。

すなわち、脳の感覚処理領域（第二次体性感覚野・島皮質）の活性化作用によって、瞑想中の脳においては、通常とは異なる部位が賦活しているのである。詳細は〈第四章／瞑想瑜伽の生化学・心身医学的知見〉で理解を深めていただきたい。

緩和的瞑想において重要なのは深い呼吸法である。その心身反応として免疫神経伝達物質のオキシトシン（oxytocin）が分泌され、セロトニン（serotonin）が活性化するが、これによって脳の状態が安定して心の平安をもたらし、それが自律神経に働きかけて平常心をつくり出し、気持ちがゆったりする。このような寂静な精神状態を保持することがこの瑜伽行の重要なところである。

この意識状態を確保できないと、次の段階である集中的な瑜伽行に移行できず、単なる苦しいだけの我慢の禅定となる。つまり瞑想においては、導入の部分での緩和的で鎮静的な心境の確立がなによりも大事であり、それによって集中瞑想に移行することができるようになるのである。

このように、心身の生理的反応としての沈静的瞑想脳の働きによる、平安な心境が持続できるようになると、やがて呼吸を中心とした集中力が増すようになり、初期経典『入出息念経』『大念処経』などで説かれるように、出入りの呼吸に注意を凝らし、修習法としての「身体・感受・観心・観法」のプロセスが確立できるのである。

そのうえで次の集中瞑想では、後述のマインドフルネス瞑想の説明において証明されているように、他方に意識を向けず、〈今・ここ〉への集中訓練を継続する。

そういう意味では、南方仏教国において現在も実践されている「歩行瞑想」は、この集中瞑想の訓練になる。その方法はいくつかあるが、一例ではまず壁などに正対し、一方向に向かって右足、左足と順番に少しずつ進みながら呼吸と共に歩き「足を挙げて、足を運んで、足を降ろして」というように、一つ一つの足の動きに集中しながら、ゆっくりと進むのである。

著者は二〇一九年、飛騨千光寺の境内に国際平和瞑想センターを建設し、その内部に「歩く瞑想道」として「ラビリンス」を常設した。ラビリンスとは古くギリシャ神話から始まったといわれているが、時代を経てフランスのノートルダム寺院などの床に描かれ、歩く人自身が自分の心と対話しながら行う霊的実践（spiritual practice）として発展してきた「歩く瞑想、祈りの道」である。多くはキリスト経の修道院などで活用され、その後に世界に広がりを見せ、スリランカの仏教寺院にもあり、国内では東京の目黒不動にも設置されている。

ラビリンスの活用は、集中瞑想だけでなく、次の観察・洞察瞑想にも応用できる。悩みや迷いを抱えた人は、迷路をさまよう状態で出口がわからず、考えも迷走しがちである。そんな状態でも、やがて目的地（迷宮）に到着し、生きる力を感じてゆっくりと戻りの集中的な瞑想をすることによって、自分らしい生き方をみつけることが可能になる。

千光寺のラビリンス瞑想風景

一般的なラビリンスの図柄

◎瑜伽行法② 観察・洞察瑜伽法〈みつめる瞑想〉

【観察・洞察瑜伽法とは】

心の対象を観察し洞察する瑜伽法。十分な緩和と集中的な意識状態は、自己と他者を客観的に観察する省察的な心的状態を生み出す。観察とは文字どおり対象をどこまでも客観的に見続けるワザである。それは注意に基づく瞑想であり、対象を第三者的に見つめ続けることである。観察する主観的な自己と、観察される客観的な自己とを認識して、省察を深めるのである。

洞察は分析と似ているが、分析はどちらかというと物事を細分化する二元論的な要素があるのに対して、一方の洞察は常に全体を眺めつつ、その本質を深く掘り下げる視座である。したがって洞察瞑想には成育歴分析などを基本にした、ある程度のくりかえしの内省訓練が重要になってくる。

【観察・洞察瑜伽法の作法手順】

① 半跏坐で定印を丹田に置く。眼は軽く閉じる。
② 自然体で緊張感をゆるめ、心を平安に保つ。

③口から大きく長く息を吐き切り、次に鼻から無理なくゆっくりと息を吸う。この呼吸を七回以上、心が落ち着くまで繰り返す。

④心の落ち着きを感じたら、普通の呼吸に戻し、鼻呼吸を継続する。釈迦如来真言／釈迦鉢印（法界定印）ノウマクサマンダボダナンバク

⑤定印にて観察瑜伽に入る。瞑想時間は意楽。

⑥洞察瑜伽は、ここから目的とするヴィパッサナー（観）瞑想に入る。

⑦終焉は一・二回ほど大きく深呼吸して定を解く。

【具体的作法とその意義】

この瑜伽行は、初期仏教のサマタ・ヴィパッサナー（止観）瞑想との関連があり、念誦は釈迦如来の印言を用いる。

「観察・洞察瑜伽法」は仏教ではヴィパッサナー瞑想、摩訶止観小止観、阿字観法、公案、内観法など、いくつかの瞑想法との相関性がある。

止観瞑想については、〈第三章〉で詳細に述べるが、「止」とは、自心の不要な動きを止める意であり、具体的には日常的な思考や判断や迷いを生み出す想念を中断し、〈今・ここ〉という現実に注視することである。「観」とは、自心の内面に生じるすべての事物や事相（因縁消滅）を深く観察し、さまざまな存在の本質や経緯を洞察・省察することである。

別の表現をするならば、「主観的に自分を洞察できること」と「客観的に自分を観察できること」との両方を重視し、事実的認識から分析的洞察へとすすむ瞑想法である。これは仏教の唯識学でいう「末那識」や「阿頼耶識」、つまり表面意識の奥底に潜んでいる潜在意識に連動する業の働きを観察することであり、人生における自己の課題や目的意識を深く省察してゆくことである。

観察瞑想の要点は、主観を離れて客観的に物事を観ることである。まずは冷静に事実関係を確認し、平等心をもって自己と他者のあるがままの心を観察することが重要となる。具体的には、「家庭や社会における今の自分の位置」「複雑な仕事や課題」「対人関係の課題」「ネガティブな自意識」等、あるいは深層意識に潜む「過去のトラウマ」「コンプレックス」「脆弱感」「厭世感」などを洞察することであり、「自己の本質的な心理状態を客観的にみられる位置におく」という訓練がポイントになる。最終的にはその負の部分を修正して、善我なる心を見出し、前向きに生きることを目的とするが、これは近代の認知療法である論理療法やポジティブ心理学にも相関する瞑想法である。

心理・精神療法において瞑想を取り入れたものとして、MBSR（マインドフルネス・ストレス低減法）、MCBT（マインドフルネス・認知療法）、ACT（アクセプタンス・コミットメント・セラピー）等がある。そのなかでもACTは、仏教的な中道精神との親和性があり、仏教での研修に活用できる可能性がある。

いずれにせよ、洞察的・内省的瞑想を実践することが仏教的な瞑想の王道であるといえよう。ブッダ（釈尊）の説いた四諦八正道での瞑想瑜伽法は、当時の欲望と争いが渦巻くインド社会において、欲望のコントロールと、執着からの解放が大事であることを教えたものであるが、そうした諦観を誘導するのが洞察瞑想であり、アクセプタンス・コミットメント・セラピーの「フレームの改善」がこの洞察瞑想に相当する。（詳細は拙著『ＡＣＰ：人生会議でこころのケア』ビイングネットプレス社・二〇二〇参照）

前述したように、〈分析〉が物事を細分化する二元論的な要素を特徴とするのに対して、〈洞察〉はつねに全体を眺めつつ、その本質を深く掘り下げる視座を持つ。たとえば、自己の生育歴を洞察する時に、家族との関係性の全体像をみながら、そこで自分がどのような思いを巡らし、どのような行動を取ったかなどの考察を詳細に深める視座である。

具体的には〇～五歳、六～十歳、十一～十五歳、十六～二十歳、二十一～三十歳、三十一～四十歳、四十一～五十歳、五十一～六十歳、六十一歳～というように、年齢的な区切りをもって、父、母、兄弟姉妹、祖父母、親類、友人、先生、会社の同僚などとの関係性を順番に洞察すると、「気付き」という自己覚知に大きな成果を見出すことができる。

こうした洞察瞑想は仏教の四諦・縁起の理解によってより深めることができる。洞察瞑想とは、「四諦の観察と八正道における正見・正思・正語の瞑想」に該当するからである。「諦」とはものごとを「あきらかにみること」であり、最終的には中道の精神で、執着を手放す境地を教えている。

縁起とは、「諸の因縁によって生じたこと、因縁によって現れるもの」の意で、「すべての現象は、無数の原因（因hetu）や条件（縁pratyaya）が相互に関係しあって成立しているものであり、独自自存のものでなく、諸条件や原因がなくなれば、結果（果phala）もおのずからなくなる」ということである。人生苦の迷いの全体の認識を深め、その苦悩の輪廻から解脱することが、仏陀の説いた四諦の教えである。十二因縁は、人間存在が苦悩や煩悩を生み出すことを観察・洞察する方法論を示し、執着を手放すことを教える。密教では特に六大縁起説を説く。

仏教の苦（duḥkha）は「思い通りにならないこと」という心の不自由さを表し、「生・老・病・死」の四苦に「愛別離苦・怨憎会苦・求不得苦・五陰盛苦」を加えて八苦になる。本質的な煩悩の生起となる自己保存意識をしっかり見つめて、人生の「無常・苦・無我」を知り、心を自由に解き放って、それでも〈今・ここ〉に生きる価値を見出すことが、洞察瞑想の目的である。

ややもすると辛い体験や経験を思い出すことによって、自分が傷つくことになるのではないかと怖れてしまいがちであるが、観察瞑想による客観的な洞察をすることによって、自分が窮地に陥ることはなくなるのである。それは、客観的な視座を保持し、冷静な感覚を保持することで主観を離れることができるからである。それが洞察瞑想の有用性なのである。

さまざまな意識の混濁と共に想起する過去を、自分自身の内的な集中力で修復するプログラムが洞察瞑想であり、もし「愛されていなかった幼い頃の私」を発見したならば、幼児期の自分をもう一度よく思い出して「おまえもよく頑張ったね」と、今の自分の視点で幼い時の心を抱きしめることが肝要である。洞察瞑想を繰り返すことによって、瞑想自体がセルフケア（self-care）と自然治癒力そのものとなるのである。これは自利行であり、やがて利他行の慈悲の瞑想の訓練となっていく。

洞察瞑想をする目的は、悩みという自我状態を、単に避けたり逃避したりするという解決法ではなく、煩悩を直視して、生きようとする本来の人間力を養うことにある。

最初は自己防衛がはたらき、ネガティブな感情や、前向きな意思を避けたい感覚が生じがちだが、そうした感覚も自己洞察瞑想のプロセスであるから、むやみに否定したり自己卑下したりせず、勇気をもって、高次の意識状態から丁寧に、自己の内面と向き合うことが重要である。これらは心理学でいう「スピリット・センタード・セラピー」といわれる療法である。

詳細は〈第四章〉で述べるが、客観的な自己洞察によって、ありのままの自分をも許して、やがて安らかで、動揺しない心境に至ることができるようになるのが、この瞑想の意義である。自心に十分な慈愛の念を醸成することも、瞑想の訓練には重要だからである。

密教瑜伽を目指す人は、この洞察瑜伽行を、時間をかけて丁寧に修練してほしい。

◎瑜伽行法③ 増益・敬愛瑜伽法〈たかめる瞑想〉

【増益・敬愛瑜伽法とは】

心身の機能を瞑想によって意図的に向上させるための瑜伽法である。

この瑜伽行では、人間の五官六根（眼・耳・鼻・舌・身・意）や五体（明確な定義はないが頭・首・胸・手・足または頭・両手・両足）の部分および全体を意識しつつ、その機能性をより向上させる。密教では人間の五体と宇宙の五大要素、すなわち地水火風空の原理を同格とみて、それぞれのもつ機能を呼吸・身体運動・意識等の変容によって、より向上させることを目指す。

つまり内分泌系・自律神経系・免疫系に働きかけて、それぞれの不調和な状態を改善してバランスをとりつつも、部位によってはその機能向上を図るのである。そのうえでさらに、意図的に加持力を他者へと向けることが重要である。

祈りや念誦は、この瞑想の延長上にある積極的瑜伽法であるといえよう。

【増益・敬愛瑜伽法の作法手順】

①半跏坐で定印を丹田に置く。眼は軽く閉じる。

②自然体で緊張感をゆるめ、心を平安に保つ。

③口から大きく長く息を吐き切り、次に鼻から無理なくゆっくりと息を吸う。この呼吸を七回以上、心が落ち着くまで繰り返す。
④心の落ち着きを感じたら、普通の呼吸に戻し、鼻呼吸を継続する。
金大日真言／智拳印　オンバザラダトバン
⑤定印にて瑜伽に入る。瞑想時間は意楽。
⑥増益・敬愛瑜伽は、ここから目的とする三昧に入る。
（意識コントロールによる内面的なイメージ力を活用するか、あるいは外部の自然や曼荼羅・光明などを活用する）
⑦終焉は一・二回ほど大きく深呼吸して定を解く。

【具体的作法とその意義】

この瑜伽行は、曼荼羅瞑想につながるもので、ここでは金剛界大日如来の印言を用いる。「増益・敬愛瑜伽行」には「阿字観」や「月輪観」も有用であるが、ローソクなどの身近な道具を活用した瞑想訓練も、イメージを高めるには有効である。その手順を紹介する。

①まず台などを用意して、ローソクの炎が自分の胸の高さにくるようにする。ただし、炎が眼線より高い位置にならないように注意する。
②室内をやや暗くする。これでローソクの炎が強調され、集中しやすい環境となる。
③心身をニュートラルな状態にするために、二・三分の〈ゆるめる瞑想〉を行う。

④③が終了したら、三〜五分ほどローソクの炎をじっと見続ける。やがて「灯りが自分の中に入ってくる」とイメージする。次に「自分がローソクの光の中に入っていく」とイメージする。これを仏教では「入我我入観」（一体感）という。対象と自己との融合的な感覚が生じて、穏やかで崇高な気持ちになる。

⑤しばらくは、光（仏）との一体感覚を味わう。この感覚が自利利他の心を養う意味で重要だからである。

⑥適宜な時間の経過をみて、深呼吸を三回して瞑想を終了する。

光そのものを「サムシング・グレイト（神仏）」とイメージすると、このローソク瞑想は神仏や大いなる存在から垂直軸を経由して、その底辺にいる自分という存在に向けて慈愛のエネルギーが降り注がれるイメージとなる。

これは増益瑜伽法を初心者でも活用できる方法であり、心身が疲れ切って、何らかのパワーを得たいときには、こうした身近な道具でそれを達成できる利点がある。

⑦この瞑想法の応用として、山岳・滝・川・雪・雨などの大自然を対象としてもよい。

〈増益・敬愛瑜伽法〉とは、私たちの心中にある、生きようとする人間力やその機能を高める瞑想であり、これは密教瞑想としても重要なものである。人間の五官六根（眼・耳・鼻・舌・身・意）や五体を意識しつつ、その機能性をより向上させ、一般にいう健康寿命を意識し、心身の健全性を高める瑜伽法である。

具体的な方法としては、内面的思考によるイメージを活用するほかに、前述したように目前の対象物や野外での自然の事物を利用した瞑想法がある。（拙著「瞑想療法」参照）

敬愛とは、密教の五種法の一つであるが、自心に蓄えたエネルギー（加持力）意識を、特定の他者にむけることである。一般には祈祷と称されるが、観想で行う祈念と、声に出して念誦するマントラ（真言）念誦とがある。

これは医学的には「健康生成論（Salutogenesis）」で「人が健康を増進するうえで助けとなる力」のことである。

増益・敬愛瑜伽法は、この理論をもとに、瞑想によって心身の機能を現在よりもアップさせるものである。社会心理学的には、精神的回復力（レジリエンス：resilience）や、首尾一貫感覚（ＳＯＣ＝センス・オブ・コヒァレンス：Sense of coherence）」等が、健康生成論の重要な概念となる。事実、これらの実践で「ストレス・ＰＴＳＤ（心的外傷後ストレス障害）・うつ病・自殺願望・癌・心臓病・脳卒中などの疾患の有意な回復に影響をあたえる」との報告もある。

古来インドでは丹田（臍の奥にあたる部分）にある生命エネルギーを高める方法がヨーガの瞑想法で発達し、クンダリニー法として、その後の仏教・密教にも影響を与えた。ヨーガでは人体のチャクラは七ヵ所あるとしている。チャクラとは、サンスクリット語で円とか円盤を意味しており、人体の中心を縦に流れるエネルギーの核となるポイントである。それが、後期密教では五つになって五輪塔に発展する。

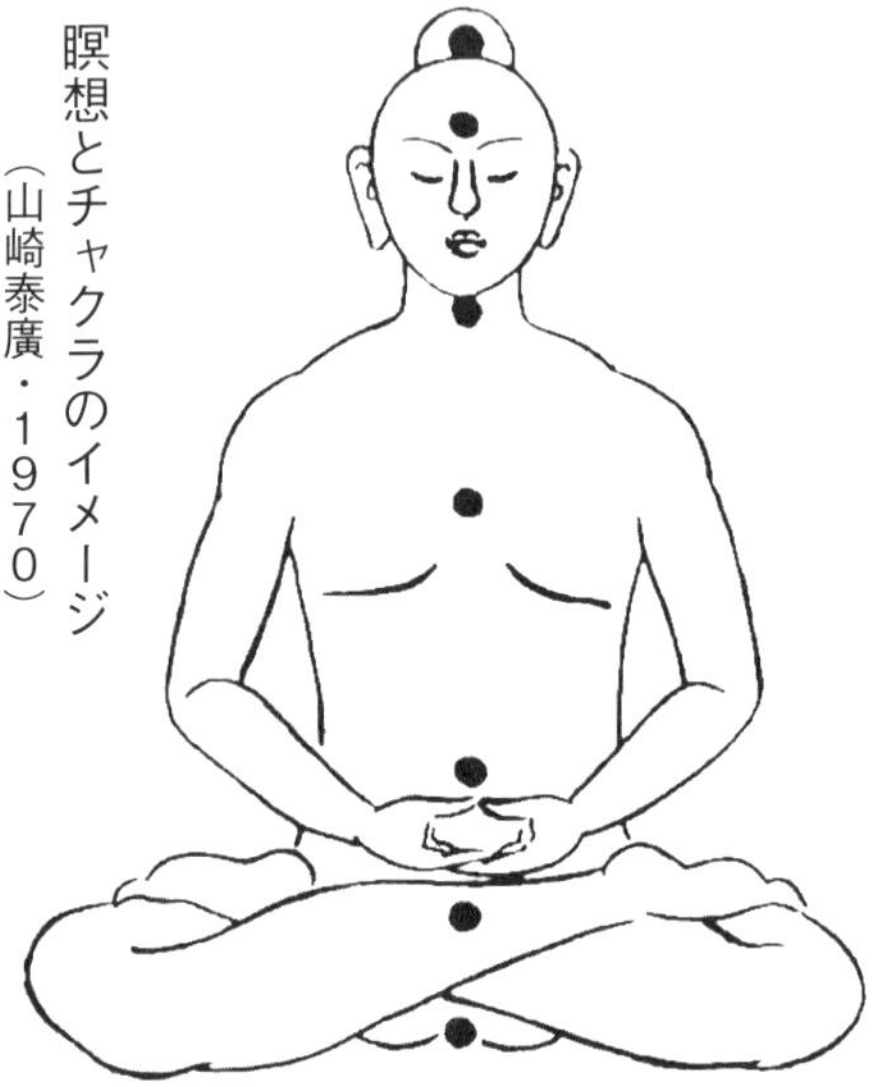

瞑想とチャクラのイメージ
（山崎泰廣・1970）

人体の五大は、①仙骨を中心に肉体をつかさどるチャクラ　②臍を中心に感情をつかさどるチャクラ　③胸を中心にメンタルをつかさどるチャクラ　④喉を中心に魂をつかさどるチャクラ　⑤頭部を中心に直観をつかさどるチャクラで五大である。

この瑜伽行は、エネルギーレベルや免疫力を調整して、病気と闘い、病気になるのを防ぐといった効果がある。身体的反応としては、瞑想時のゆったりした呼吸は、自律神経の一つである副交感神経を優位にし、血管への作用によって動脈壁がより伸びやかで弾力性に富むようになり、血液は、末梢抵抗に遭遇しながらも内臓の器官や組織にスムーズに運ばれるようになる。脳の活動と筋肉の緊張は抑えられ、血液が体内のシステムを上手に循環することによって、心身の機能は向上し、健康状態も増強されるのである。

密教の重要な行法に護摩行がある。外護摩として炉で護摩木を焚いて祈念する行であるが、護摩とは本来、身体の内に心身の主要エネルギーを起す〈内護摩〉による祈念法なのである。経典『金剛峯樓閣一切瑜伽瑜祇經』巻下『一切如来内護摩金剛儀軌品』第十には、その作法と意義が説かれている。（私訳）

金剛手よ、我れ内護摩を説かん。固業を浄除して菩提心を護り、端坐して月輪を成じて水字光焰を観ぜよ。主身は仏形の如し。悲愍は智拳印に住す。これを扇低迦《シャンティカ》（息災）と名づく。如来の内護摩なり。次に觸地の儀は因字金剛句なり。猛利火を発生して衆の不祥を焼除せり。之を金剛持地と名づく。速やかに無等覚を悟れり。

すべての密教的祈祷法はこの如く、まずは入我我入観によって、自分の心身に確固たる仏の威力を獲得し、そのエネルギーを衆生（対象）に向けて発信する作法であり、その瑜伽法としては「息災・増益・調伏・敬愛・鉤召」の五種の祈祷法がある。

これを生化学的な見地からいえば、慈悲の心や他者への愛の祈りによって、オキシトシンが発生し、自身も安らいだ気持ちになれるのである。特にＬＫＭ（慈愛の瞑想：Loving kindness meditation）」による心身への効果により、「疼痛緩和・心理的苦痛や怒りの感情の緩和」に有意性があり、能動的に他人を思いやることへの有用性が報告されている。

この瑜伽法には上述したように、エネルギーレベルや免疫力を上げ、病気と闘い、病気になるのを防ぐといった効果があるが、具体的には、①心拍・血圧の降下 ②脳や心臓への血流の増加 ③脳波・筋電信号・皮膚抵抗の正の変化 ④睡眠や消化の良好化 ⑤イライラ感・不安・抑うつ感の減少 ⑥病気の頻度や期間の減少 ⑦仕事中の事故やロスの減少 ⑧人

間関係の改善　⑨自己実現、感情・スピリチュアル指数の向上…等々の効果がある。

また、疾患対症としては前述したものの他に、アレルギー性疾患・ぜんそく・不安・酸性消化性疾患・神経症・糖尿病・高血圧・過敏性腸症候群・偏頭痛・薬物依存（喫煙・アルコールも含む）・緊張性頭痛、その他ほとんどの病気についての治癒および改善が期待される。ただし、瞑想を禁忌（適用できない状態）とするものとして、重度の精神病・重度のうつ・急性錯乱状態・極度の不安・重度の認知症などが含まれるので、実施にあたっては瞑想希望者の心身症状を事前にアセスメントして見極める慎重さが不可欠とされる。

心理的側面としては、仏や曼荼羅などとの統合的な意識を瞑想によってイメージする手段が有用であるが、これはユング心理学の「能動的想像（active Imagination）」に相当する。能動的想像とは、「心中に起こってくる夢や観念などのイメージを抑圧することなく、自然に自由にはたらかせながら具現化していく方法」で、やがて箱庭療法やアートセラピー等に応用されるようになった。曼荼羅瞑想もこの能動的想像の発展系であるといえよう。

増益・敬愛瑜伽行を行うことによって、自らの身心をコントロールし、日々の健康を回復して安らかな心境に至り、また体内にセットされた自然治癒力を増進させることができるが、それだけでなく、こうした身体レベルの改善を通じて「どのように生きるか」という、よりスピリチュアルな側面での〈増益〉が期待される。したがってこの瑜伽法は、心身統合論にも適い、「心身一如」の生き方を志向することにも繋がるのである。

増益・敬愛瑜伽行で重要なもう一つの側面は〈敬愛〉すなわち〈慈悲〉である。

そこでこの瑜伽行では、左の〈慈悲喜捨の祈りの文〉を声に出して唱え、四無量心観を活用した〈慈悲の瞑想〉の実施をお奨めする。それによって、心の内側から温かい情感がわき上がってくるのが感じられることと思う。

〈慈悲喜捨の祈りの文〉（著者作）

◎**慈の祈り**

大いなる仏の加持力をもって　慈の祈りを成《じょう》ず。
私自身が平安で　幸いであることを願う。
私の愛する人びとや他の方々が　平安で幸いなることを願う。
たとえ怨敵者であっても　その縁《えん》生《しょう》の導きがあったことを想い
その人々にも　平安と幸いがもたらされることを願う。
大慈三摩地の真言に　オンマカーマイータラヤソハラ。

◎**悲の祈り**

大いなる仏の加持力をもって　悲の祈りを成ず。
いま逆境にあって　苦悩を抱えているすべての人々に
憐れみをもって　平安を願う。
縁生を受け入れ　自らの修行を為し

菩提の道を歩まれることを願う。
大悲三摩地の真言に　オンマカーキャロダヤー　ソハラ。

◎喜の祈り

大いなる仏の加持力をもって　喜の祈りを成ず。
生きとし生ける　多くの縁生の友たちが
平安で　幸いなる心性にあることを喜ぶ。
共に生かされている　生命に感謝して
共に喜びを　分かちあうことを願う。
大喜三摩地の真言に　オンシュダハラボーダ　ソハラ。

◎捨の祈り

大いなる仏の加持力をもって　捨の祈りを成ず。
私と縁生の友たちが　現世のあらゆる怨恨や執着心を
手放して　平安で幸いなる涅槃におもむくことを願う。
大捨三摩地の真言に　オンマコー　ベイキシャヤ　ソハラ。

そのまま定印にて瑜伽三昧に入る。

◎瑜伽行法④ 融合・統合瑜伽法＝即身成仏観法〈ゆだねる瞑想〉

【融合・統合瑜伽法とは】

前項の「たかめる瞑想」によって心身機能の高揚を果たすことができるが、その過程では特に精神的な次元の上昇が顕現するので、その心身状態レベルから連続して「ゆだねる瞑想」という変成意識に移行するのが、この瑜伽法の核心である。すなわち融合・統合瑜伽法〈ゆだねる瞑想〉とは、自我意識を超克して純粋意識に到達し、大日如来（在家の人にとっては神仏や大宇宙などのサムシング・グレイト）に融合・統合することによって、より高次のスピリチュアリティを実現する瞑想法であり、まさしく〈即身成仏観法〉としての瑜伽法である。

【融合・統合瑜伽法の作法手順】

① 半跏坐で定印を丹田に置く。眼は軽く閉じる。
② 自然体で緊張感をゆるめ、心を平安に保つ。
③ 口から大きく長く息を吐き切り、次に鼻から無理なくゆっくりと息を吸う。この呼吸を七回以上、心が落ち着くまで繰り返す。

④心の落ち着きを感じたら、普通の呼吸に戻し、鼻呼吸を継続する。
両部大日真言／智拳印・法界定印　オンバザラダトバン　アビラウンケン
⑤定印にて瑜伽に入る。瞑想時間は意楽。
⑥即身成仏観法は、行法次第にしたがって灌頂秘印言・成仏秘印言を念誦して、そのまま定印で禅定三昧に入る場合もある。
⑦終焉は一・二回大きく深呼吸して定を解く。（行法途中であれば、その後の作法を修す）

【具体的作法とその意義】

ここでの念誦は、即身成仏につながる意味で第一章で示した両部大日如来印言を用いる。「融合・統合瑜伽法」とは、自分の「いのち（スピリチュアリティ）」を「大いなるいのち」や「大いなるエネルギー体」つまり「虚空・宇宙意識・大日如来」に委ねる純粋意識を保持することであり、その純粋意識によって日常的な自我意識を超克し、真実真理に到達しようとする高次な意識状態をいうのである。大師の十住心では秘密荘厳の境地に入ること、すなわち即身成仏観法そのものであり、「無境界」の状態である。

『秘密曼荼羅十住心論』巻第十には

是の如くの心身の究竟を知るは、即ち是れ秘密荘厳の住処を證す。
若し大覚世尊の大智灌頂地に入りぬれば、自ら現に三三昧耶の句に住せり。

とあり、その意識状態は小さな我執にとらわれるのでなく、自己や他者を超えた大きな世界、「大我」に生きる価値を見つけるという純粋意識であり、そうした覚悟である。三三昧耶とは仏と行者の三密が平等であること、また仏部・蓮花部・金剛部の三平等を意味する。まさに曼荼羅浄土に住する心境である。

この融合・統合瑜伽法のトレーニングは、前の増益・敬愛瑜伽行の延長上にあって、曼荼羅を観想しながら瞑想することや、ローソクや護摩行の火を見つめたり、あるいは滝や山などの自然景観を観じて融合意識を促進する訓練が有用である。それは具体的な個々の観想を通じて、自他の法縁との融合性を内実的に味わいつつ覚醒を成就する優れた瞑想法であり、ヨーガのクンダリニーの瞑想法にも通底する。

これをトランスパーソナル心理学的にいえば至高体験であるが、「至高体験」や「無境界」については、ケン・ウィルバー（Ken Wilber, 1949～）が悟りという純粋意識の状態を「①意識的な状態 ②至高または究極の潜在性 ③自我または個人的な自己を超える点 ④超越性（トランセンダンス）⑤スピリチュアル」と定義している。（1）＊253頁【第二章】注記1参照

〈融合・統合〉という意識状態を理解するには、インテグラル理論（第四章で詳述）が役に立つが、この意識状態の特徴は、憑依現象でも離人化意識でもなく、極めて冷静に現在の自分の意識状態を客観的に確認していることである。

したがって瞑想者は、瞑想中に次第に変容していく変性意識状態を常に客観的に観察し続けることが重要であり、それによって、心が慈愛と信頼に裏づけされた幸福感と安らぎに満たされ、大いなる仏の命と融合している感覚が長時間にわたって継続する法悦状態が

実現されるのである。
大師の『即身成仏義』には、このような融合的意識が雄弁に語られている。

六大は無礙にして常に瑜伽なり
四　種　曼　陀　は　各　離　れ　ず
三密加持すれば速疾に顕わる
重重帝網なるを即身と名づく
法　然　に　薩　般　若　を　具　足　し　て
心　数　心　王　刹　塵　に　過　ぎ　た　り
各　々　五　智　無　際　智　を　具　す
円　鏡　力　の　故　に　実　覚　智　な　り　(2)

宇宙を構成する六つから成る
物質と心の聖なる要素を妨げるものは何もなく
常に精妙にして相応し、渉入しあっている。
(それらを象徴する)四種類の曼荼羅は

機能的にそれぞれが離れることはない。
（仏と人との）三密（身口意）のエネルギーが
相互感応すれば直に悟りの世界が顕れる。
仏天とつながる無数の宝珠のネットワークが
輝いて重なり合って存在することを即身と名づく。
あるがままに全ての智を成就すれば
心の機能としての識（六識から九識まで）や
心の作用の働きは、塵数の比ではない。
それぞれが五智をそなえて無数に存在する。
仏智が宇宙の姿をそのままに映し出し
真実の悟りの智慧を表している。

（私訳）

宗教心理の面から考察するならば、瞑想瑜伽で到達する境地とは、まさに宇宙曼荼羅の仕組みとそこに遍満する仏智を悟り、十住心にいたる精神の階梯を即座に上昇することを意味しているが、これを現実生活において実現するためには、縁生の仕組みの中であらゆる体験を通じて、人の聖なる精神性（スピリチュアリティ）の進化を促し、智慧と勇気と慈愛をもって生き抜くことに努めねばならない。

それ故に、現代にこそ瞑想瑜伽の普及が広く求められるのである。

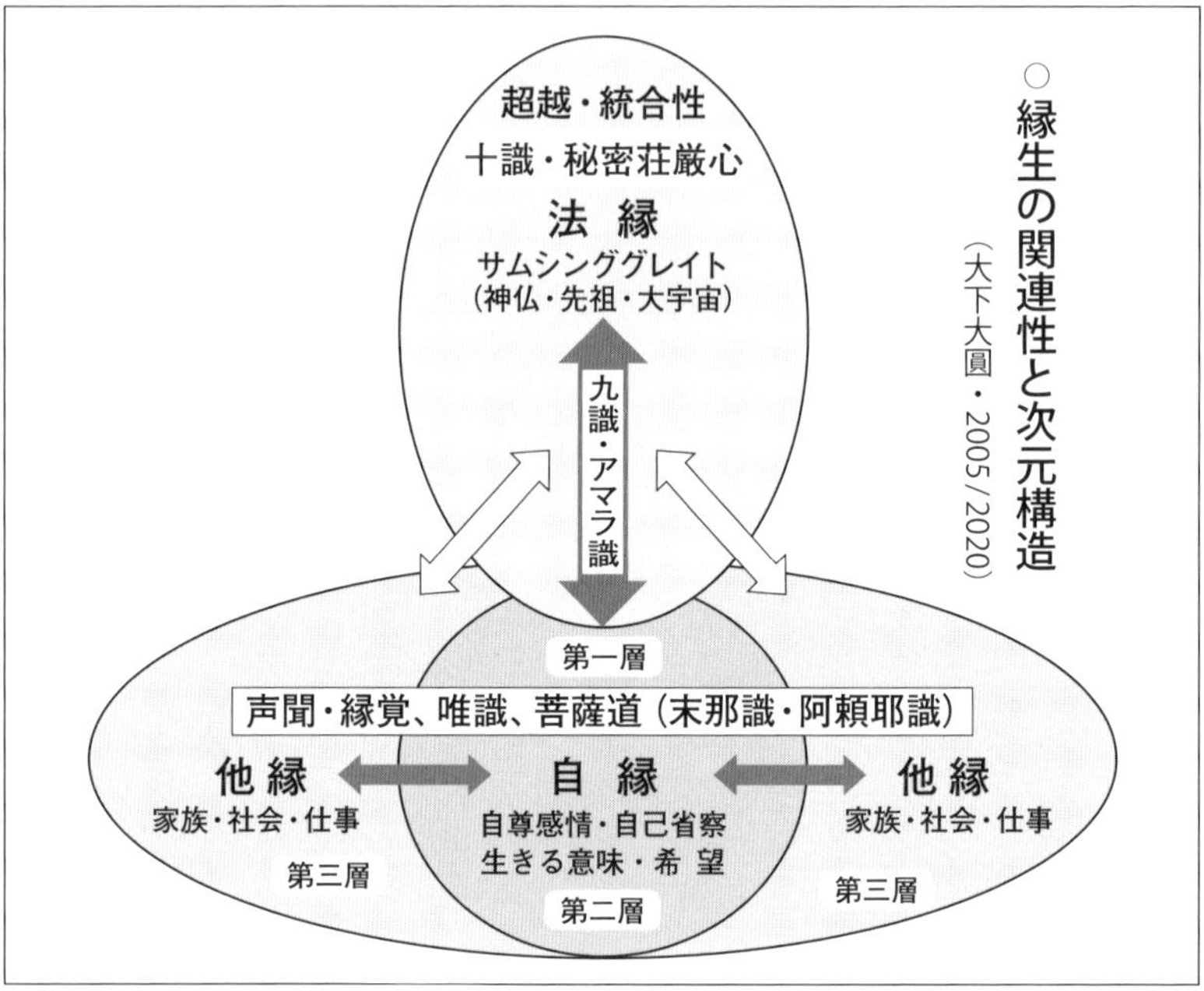

縁起については次の〈第三章〉で詳しく述べるが、対人交流の心理社会的側面で説明すると上の図のようになる。つまり人が両親との縁のもとにこの世に生まれ出でて、様々な境遇の中で成長することは「自縁」であり、その成長とともに家族や親戚・知人・友人・職場などでの交流があってさらに成長することが「他縁」となる。そして横軸関係性の「自縁」「他縁」を包摂する縦軸の関係性として「法縁」が生ずるのである。また法縁は、神仏や宇宙性との交流関係でもある。

心理学者三沢直子は、次元的スピリチュアリティの探求から「意識的自我」「無意識的自我」「霊的自我」の三層の世界を説明し、「意識的自我は社会的自我、無意識的自我は感情的自我、霊的自我は魂の願いを生きる自我」と定義している。

このような三層の内容を具体的に示すと、第三層の「意識的自我」とは自分で理解していて人にも見せている社会的な部分。

第二層の「無意識的自我」は、感情や観念を自ら抑圧・否認して気づかずにいる部分。仏教的にいえば、この自我は声聞・縁覚・菩薩道で克服されて無我の境地へと至る。

そしてすべての無自性・空性を悟ったときに、第一層の「霊的自我」に融合・統合される。これを仏教的にいえば、転生を繰り返しながら魂の向上進化を図り、今生での深い祈りを持ち続ける仏性の中核部分である。一般的にいえば、古今東西や大宇宙などの時空間との繋がりを保持している心の世界である。(3)

三上の述べる三層の自我を、自縁・他縁・法縁の関連を示した「縁生の関連性と次元構造図」(著者作成)に配置すると、右の図のようになる。

密教の最勝の瑜伽行である「五相成身観」は、これらの宗教心理的な考察と相関する点が多い。即身成仏の境地とは、まさしく第一層の意識状態に入って、悉地(悟り)を目指す次元上昇(スピリチュアル・アセンション)の階梯を速やかに登ることである。

ただし、このような学理的理解も大事であるが、即身成仏をめざす密教者は、とにかくこうした瑜伽行の修練を地道に継続して実修することが、何よりも大切なのである。

【第三章】

瑜伽行概説

◎瑜伽行と菩提心

一般に仏教を学び実践するには、まずは知的理解としての概念知が必要と思われがちだが、仏教の目的は仏智に至ることに他ならない。だが、誰でもすぐに仏智を獲得できるわけではなく、そのためには直観智を養う必要がある。それが瞑想・瑜伽修行の効果であり、したがって、ただ知識を追うだけの概念知では決して即身成仏には到達できないのである。

密教修行者の大先達である三井英光師は、三密瑜伽行を「普通法（小・中・大法立）と特殊法（護摩法・浴油法・灌頂法・他法）」に大別され、多様性はあっても「それらを貫くものは三密瑜伽行を出でない」と明言され、「三密瑜伽行の加持祈祷こそ密教の最も大切な行なのである」と自身の修行体験から力説されている。（1）＊253頁【第三章】注記1参照

三密瑜伽の「三密」とは、いうまでもなく身密・語密・意密であり、その「瑜伽」とは「調息等の法に依りて心を摂し、正理等と相応する情態を云う」とある。（『望月仏教大辞典』）

大師が『即身成仏義』に引用した唐代不空訳の『金剛頂瑜伽中発阿耨多羅三藐三菩提心論』（以下『菩提心論』）には、

瑜伽観行を修習する人は、まさに須らく具さに三密の行を修し、五相成身の義を證悟すべし。謂ゆる三密の身密とは、契印を結び聖衆を召請するが如きなり。語密とは、密に真言を誦して文句を了了分明ならしめ、謬誤なきが如し。意密とは、瑜伽に住して白浄月の円満に相応して菩提心を観ずるが如きなり。（私訳）

とあり、特に意密については、菩提心を確立し、瑜伽の境地に住して菩提心を観ずることの重要性を示している。

瑜伽行をもって即身成仏に導く要の菩提心とは、『菩提心義』には、

菩提の心、成仏の本　とあり、また『秘密三昧耶佛戒儀』には

いわゆる菩提心とは、すなわちこれ諸仏の清浄法身なり。またこれ衆生の染浄の心なり。本を尋ね根源を逐うに、本より生滅なく、十方にこれを求むるについに不可得なり。言説の相を離れ、名字の相を離れ、心縁の相を離れたり。妄心流転するをすなわち衆生染汗の身と名づけ、開発照悟するをすなわち諸仏の清浄法身と名づく。（2）

とあり、衆生が瑜伽行によって心を磨き、諸仏に同等ならんと努めることの重要性を示す。また同書には、「菩提心を捨てることは、波羅夷罪を犯すことなり」とも明記されている。行法とは、菩提心の確立無くしてあり得ず、それはまさに厳しい覚悟を必要とするのである。密教僧は事相と教相の二利双修を本分とするが、形だけの事相を繰り返しても、悉地は得られない。行法とは常に菩提心を堅固にして保持することで成立するからである。

また松長有慶師の『大日経住心品講讃』には、左のような重要な発言がある。

「所求の菩提心と能求の菩提心の二種があるとされる。そのうち所求の菩提心とは、一切智智そのものを心とする。すなわち菩提即身である。一方能求の菩提心とは、一般にいわれる悟りを求める心を指す。ただし一切智智は本来行者が生理的に具えた仏性に他ならな

いから、所求、能求ともに自己の一心に他ならないと、伝統教学では会通される」(3)

『菩提心論』には三相とは、

真言法の中にのみ即身成仏するが故に、是の三摩地の法を説く。諸教の中に於ては欠いて書さず。一には行願、二には勝義、三には三摩地なり。初めの行願とは、修習の人、常に是の如き心を懐くべし。我れ当に無余の有情界を利益せり。(中略)二の勝義とは、一切の法は自性なしと観ず。(中略)瑜伽勝上の法を修する人は、能く凡より仏位に入る者。亦た十地の菩薩の境界を超ゆるなり。又深く一切法は自性なしと知るなり。(中略)諸法は無相なりとの観をなし已わるを勝義の菩提心と名づく。(中略)佛心とは大慈悲これなりと。(中略)第三に三摩地といっぱ、真言行人は是の如く観じ已りて、云何が能く無常菩提を證するや、まさに知るべし。法爾に普賢大菩提心に住すべし。一切衆生は本有の薩埵なれども、貪瞋痴のために縛せらるるが故に、諸仏の大悲は善功智を以てこの甚深秘密の瑜伽を説きて、修行者の内心の中に日月輪を観ぜしむ。(中略)是の菩提心は能く一切諸仏の功徳を包蔵するが故に、若し修證して出現すれば一切の導師となり、若し本に帰すれば是れ密厳国土なり。座を起たずして、能く一切の仏事を成ずるなり。(私訳)

とあって、顕教の瞑想と三摩地による瞑想の違いが強調されている。

菩提心とは信心そのものとも言えるが、「行願・勝義・三摩地」の三種菩提心を別様に解釈すると、「勝義心（深般若心）は智慧で、一向志求一切智々の心。行願心は慈悲で、同体大悲の心をもって法界衆生を救わんとする利他の心。三摩地心（大菩提心）は心を六大一実、阿字本不生の心地に専住して、自己の真面目を自覚し、凡聖不二・生仏一如の密教的悟りを体証せんとする心」（密教辞典）である。

また『菩提心論』では、金剛界曼荼羅の諸仏諸菩薩を観想し、究極の菩提心をもって密厳国土を実現するに、父母から与えられた即身（肉体）における成仏の価値が強調される。

若し人佛慧を求めて　菩提心を通達すれば
父母所生の身に　速に大覚の位を證す

『大日経』（『大毘盧遮那成佛神變加持經』）（大蔵経④）には、

仏の言わく、菩提心を因と為し、大悲を根本と為し、方便を究竟と為す。秘密主、云何が菩提なるやといわば、実の如く自心を知ることなり。秘密主、是の阿耨多羅三藐三菩提とは、彼の法として少分も得べきこと有ること無し。何を以ての故に。虚空の相は是れ菩提なり。知解の者もなく、亦た開暁も無きが故に。何を以ての故に、菩提は無相なるが故に。秘密主、諸法は無相なり、謂ゆる虚空の相なればなり。（私訳）

とあり、無相の菩提心には無量無辺の秘密甚深の法を有すると説く。

また同経の頌に「真言行者が菩提心を起したときに、どのような兆候が表れるか」という問いに対しては「真言行者が最初に金剛の宝の蔵を開いた時に、自らの心の本性は浄虚空のように時空の制約を超えていて、いつも堅固であると知り、そこに悟りが生ずるので

ある」と説かれる。（4）

これらのことを踏まえて堅固なる菩提心を保持し、さらなる純化を求めて瑜伽行に臨むことが、即身成仏の重要な鍵になるといえよう。まさに秘蔵の宝鑰を開く自覚が、瑜伽三昧の全てを左右するのである。

初期の仏教徒から密教徒に至るまで、あらゆる修行者に求められる菩提心の中核の一つに「四無量心（四梵行）」がある。四無量心や四無量心観はすでに、『大般涅槃經』第十九巻などの阿含経に散見するが、密教経典では『金剛頂瑜伽千手千眼観自在菩薩修行儀軌經』等に、観法の修行法としてこの四無量心観が示される。ここでそれを紹介すると左のようになる。ちなみに千手観音は拙寺の本尊仏である。

まず結跏趺坐し、次に定印を結んで三密行を修してこの観法を修す。

初めに慈無量心の定に入り、慇淨心を以て遍く縁ぜよ。

六道四生の一切有情は皆な如來藏を具え、三種身口意の金剛を備えたり。

我が修する三密の功徳力を以ての故に、願くは一切有情を普賢菩薩に等同ならしめん。是の如く觀じ已って、即ち大慈三摩地の眞言を誦じて曰く。

オンマカーマイータラヤソハラ

次に應に悲無量心の三摩地智に入り、悲愍心を以て遍く縁ぜよ。

六道四生の一切有情は、生死の苦海に沈溺して自心を悟らず。

妄りに分別を生じて種種の煩悩と随煩悩を起す。是の故に眞如平等の虚空の如き恒沙の功徳に達せず。我が修する三密の加持力を以ての故に願くは一切有情を虚空藏菩薩に等同ならしめん。

是の如く觀じ已って、即ち大悲三摩地の眞言を誦じて曰く。

オンマカーキャロダヤーソハラ
次に應に喜無量心の三摩地智に入り、清浄心を以て遍く縁ぜよ。六道四生の一切有情は、本來清浄なること猶し蓮華の如し。客塵に染せずして自性清浄なり。我が修する三密の功徳力を以ての故に願くは一切有情を觀自在菩薩に等同ならしめん。

是の如く觀じ已って、即ち大喜三摩地の眞言を誦じて曰く。

オンシュダハラボーダソハラ
次に應に捨無量心の三摩地智に入り、平等心を以て遍く縁ぜよ。六道四生の一切有情は、皆な我我所を離れ蘊界を離れ、及び能取所取を離れて法に於て平等なり。心本より不生にして性相空なるが故に。我が修する三密の功徳力をもっての故に、願くは一切有情を虚空庫菩薩に等同ならしめん。是の如く觀じ已って、即ち大捨三摩地の眞言を誦じて曰く。

オンマコーベイキシャソハラ（私訳）

密教は、初期仏教・部派仏教・大乗仏教・秘密金剛乗を統合化したものであることの証明の一つが、この四無量心観にあると著者は考えている。「大悲をもって…」とは「慈悲」の観法から出た用語であることは疑う余地がない。

初期経典『清浄道論／第九品・梵住の解釈』では、この「慈悲喜捨」を瞑想的な心の訓練として教示する。

慈悲喜捨の四梵住の中、まず慈を修習せんと欲する初学の瑜伽行者は、十種の障礙を断じ、業處を把持し、食事をなし已りて食後の睡気を除去し、遠離せる場所に善く適当に設けたる座に楽坐し、まず最初に瞋恚の過患と忍辱の功徳とを観察すべし。

「忍辱は最上の苦行なり、忍耐は最上の涅槃なり」と諸仏はときたもう。

「強力なる忍辱力ある者、彼を我は婆羅門という」

「忍辱よりもすぐれたるものあることとなし」等によりて忍辱の功徳を知るべし。（5）

このように、瑜伽行者が慈悲心を養うために、さまざまな心のわだかまりを整理して、深く自心を洞察し、その性根の由来を吟味することが重要であると説いている。

これは今日の心理療法家を育てる訓練である「生育歴分析」にあたる。

心理学においては、「観察・洞察」が内省の用語として扱われ、洞察療法という心理療法もある。洞察はパーリ語でパチベーダ（paṭivedha）といい、原義は道智による現観であり、まず理解が先にあることをいう。（6）

仏教の瑜伽行の根本は、四諦八正道を深く洞察することなくしてはありえない。したがって、「慈悲喜捨」を涵養することが仏教者の根本精神を養う意味できわめて重要なのである。今日、他者を援助し、救済したいと活動するすべての援助者は、自分の生い立ちや、そこで形成された未分化な心理状態を深く洞察し、他者援助の際の「転移・逆転移」のバランスを確保しなければならない。瑜伽行者の慈悲心を育てるために、食事や睡眠などで心身のバランスを確保し、己の内面を見つめなくてはならないのである。

日常生活における対人関係から生じるトラブルの多くは、「瞋《いか》り」がその背景にある。したがってこの「瞋り」のコントロール、すなわち「忍耐力」の醸成が重要になってくる。そのためには、自分の心で形成される「瞋り」の念がどこから生じているのかを、洞察瞑想によって明らかにしていくことが要求される。

『清浄道論』に記載される「業処」とは「カルマ（karman）」のことである。カルマとは、日本語で「業」と訳される。古代のインドの思想として、業とは輪廻の中で蓄積したその人の善悪の結晶のことを言い、また唯識では、意思や行為を意味する「カルマ」は輪廻の主体とみなされている。

仏教では、道理に暗い心を「無明」とし、三毒をその代表としてあげるが、その一つが「瞋恚（怒り）」であり、他の「貪欲」「癡」とならんで苦しみの原因とされる。「忍辱」が功徳とされるのは、この「瞋り」を抑えることによっている。だからこそ「忍辱は最上の苦行、忍耐は最上の涅槃」という教示が、瑜伽行者にとって重要なメッセージとなるのである。

「慈の修習」を実践するための要点として①愛していない人には行わない②熱烈に愛している人には行わない③日常において関係のない人には行わない④憎しみや敵となるような人には行わない⑤異性に対しては常に行わない⑥亡くなった人へも行わない…ということを教える。これによって、むやみに親切心を起して、却って自らの苦を深め、貪欲が起こり、迷いの事態に陥ることを諫《いさ》めているのである。

『清浄道論／第九品：梵住の解釈』には、「慈」の心を養う訓練法として「自己に対する慈」「可愛者に対する慈」「一切者に対する慈」「怨敵者に対する慈」「平等の慈」を具体的な事例をもって教示する。この中の「怨敵者に対する慈の修習」に十項目の具体的な記述があるのは、人間にとって憎しみの念の克服が、如何に難しいことであるかを物語っている。

そのなかでも特筆すべきは、怒りや憎しみの業が今世だけではなく、過去世との宿縁であることを説いていることである。今の世で憎しみ会っている関係は、過去世では自分の父母や兄弟姉妹であったかもしれないという論理法は、現代の心理療法家であるアルバート・エリスの「論理療法」との親和性が見受けられる。(7)

同じように「悲・喜・捨」は、このように説かれる。

悲を修習せんと欲する者は、無悲の過患と悲の功徳とを観察して、悲の修習を始むべし。(中略)

譬へば逆境に堕せる人を見て悲愍するが如く、一切有情に対して〔比丘は〕その如くに悲を遍満せしむるなり(中略)

喜の修習を始むる者も最初に愛する人等に対して〔修習を〕始むべからず。(中略)愛する人が幸福に充実し、喜びつ、あるを見又は聞きて、実にこの有情は喜び居れり、嗚呼善い哉、嗚呼幸なる哉と喜を起すべし。(中略)捨の修習を修習せんと欲する者は(中略)前の〔慈悲喜の三者の〕過患を〔見〕——〔捨〕は寂静を自性とするが故に——捨の功徳を見て、本来無関係なる人をば捨置して捨を生起すべし。(8)

「慈悲喜捨」の解釈は、原義から様々に発展していくが、その根底において仏教の「諸行無常　一切皆苦　諸法無我　涅槃寂静」という四法印の根本精神を具体的に教え、遭遇する幾多の苦悩を乗り越え、やがて成仏にいたる道を教示している。その為に必要な聖なる心が菩提心に他ならない。瑜伽行を実践するものは、この慈悲喜捨を常に憶念して自性心(菩提心)に低在させることが肝要なのである。

◎ヨーガと瑜伽行

即身成仏観法を実修するためには、仏教瞑想すなわち瑜伽行の歴史的意義や体系を理解しておかねばならない。そもそも「瑜伽」とは「ヨーガ(yoga)」の音写語であり、瑜伽行の源泉はインドヨーガの思想と伝統にあることを知る必要がある。

「ヨーガ(yoga)」はサンスクリット語で「くびき・結合・連結」等の語義をもち、本来は煩悩や無明の意味に使われていたのが、後には「自分自身との結合」あるいは「絶対者と

の結合」を成就するための瞑想を示す語となったと考えられる。(9)
また密教で瑜伽とは「心を統一し、意を制御して本尊と融合一体となり、三密の実践行を成就すること」とされている。(『密教辞典』)
ヨーガと瑜伽とは、どちらも「坐法」と「呼吸法」とによる瞑想を核心とするところが共通するが、ここではインドの古聖典において「坐法」と「呼吸法」とが、どのように扱われてきたかを見ていく。
「(古代インドの宗教哲学の聖典である)『ウパニシャッド(Upaniṣad)』は「坐る」を意味するni-ṣad-に接頭辞upa-(近くに)を付してつくられた語で、近坐、侍坐、すなわち弟子が師匠のそば近くに坐ることを原義とし、そのようにして教えられる秘密の教説、さらにはそれを収録した文献を意味するようになった。他には、「崇拝する」「奉仕する」「期待する」などの意があり、そこには儀式によって供物をささげ、神からの恩恵によって願望を満たすことを期待する意味がこめられる。(10)
『カタ・ウパニシャッド(Katha UP.)』には
五つの知覚器官(眼耳鼻舌身)が意(思考器官)とともに静止し、さらに覚(理性、高次の精神的な意識器官)も働かなくなった時、人はこれを至上の境地という。
このように心の諸器官を固く抑止することを、人びとはヨーガと見なす。(11)
とある。さらにこの経典には、『至上の境地』である悟りに至るための要諦として、
賢者は語(感覚器官の代表)を意のうちに拘制すべし、次にこの意を智我のうち

に拘制すべし。次にこの智を大我のうちに拘制すべし。最後にこれを寂静我のうちに拘制すべし。（前掲書）

とあり、「語―意―智我―大我―寂静我」という順にしたがって、意識変容を可能にするための詳細な説明が記されている。

ヨーガの聖典『ヨーガ・スートラ（Yoga-sūtra）』は、全四章・一九五節から成る根本経典であるが、その中では正しい瞑想のための安定した坐法が強調される。

坐り方は、安定した、快適なものでなければならない。（2章46節）

安定した、快適な坐り方に成功するには、緊張をゆるめ、心を無辺なものへ合一させなければならない。（2章47節）(12)

つまり、坐ることに快適さがないところでは深い瞑想は達成されないのである。ここに苦行としての瞑想ではなく、基本を守ることによる快適な瞑想の在り方が示されている。また瞑想には緊張をゆるめ、心を広くして無辺（大いなる存在）の境地につながる意識を目標にすることが明記されている。

次に呼吸法である。

瞑想瑜伽の根本となる息を示す「プラーナ」（prāṇa）という語は、「呼吸する」を意味する語根 an- を含み、「呼吸」という生理学的な機能と密接に関連している。(13)

また呼吸を表す「調息（プラーナーヤーマ）」とは「息・命・生気」などの意味があって、

瞑想の導入において最も基本的な修行となる。息を吸い込み（プーラカ）、息を保ち（クンパカ）、息を吐く（レーチャカ）という営みが、ヨーガの重要な呼吸法なのである。

坐りがととのったところで、調気を行ずる。調気とはあらい呼吸の流れを断ちきってしまうことである。（二章四九節）

調気は出息と入息と保息とからなり、空間と時間と数とによって測定され、そして長くかつ細かい。（二章五〇節）

第四の調気は、外部及び内部の測定対象を充分に見きわめた後になされる止息である。（二章五一節）

調気を行ずることによって、心のかがやきを覆いかくしていた煩悩が消え去る。

（二章五二節）(14)

ここでは、まず荒い呼吸を断ち切り、長く静かな出入りの呼吸を大切にすることが強調される。特徴として、静かな呼吸の途中に行われる止息という呼吸調整をすることで、体内の二酸化炭素の加減が自然に調整されるのである。呼吸を徐々に調和することによって、本来の心が持っていた内的な力の輝きが増す。これは仏教の自性清浄心、あるいは金剛心と呼ばれているもので、ヨーガスートラとブッダスートラとの相関性が理解されるところである。

呼吸の次には、意識を一点に集中してコントロールすることが強調される。「止息」とは、凝念すなわち自意識を特定の対象に繋ぐことで、対象である客体と自意識とが一体になっていく過程での調息のことである。凝念の対象となるものは、臍・心臓・頭・鼻の先・舌などの身体の一部、あるいは森や川や夕焼けなどの自然界の事物が利用される。こうして得られる穏やかな境地が「三昧」や「静慮」と呼ばれるものなのである。

このような境地をディヤーナ(dhyāna あるいは jhāna)と呼び、仏教では「禅定・禅那」と音訳され、後に禅宗系では単独に「禅」と表記されるようになった。

ヨーガ行者にとって最高の境地とは、あらゆる分別を超えた悟りの境地をいう。それは人間が生きるために生ずる苦や煩悩、そして過去からの業の連鎖を超克して、やがて意識を覆っている一切の煩悩の汚れを消し去ってしまった後に、少しだけの自意識を保持している状態である。

したがってヨーガの目的は心身の各器官をしっかりと抑制して調和を促し、最後に大我を得、寂静我を獲得することによって、プルシャ(真我)の境地に至ることに他ならない。

ヨーガ・スートラ三章三七節には、こうある。

これまで述べてきたような、綜制の諸結果は、三昧にとっての障害である。雑念にとっては、霊能であるが。(前掲書)

瞑想によって得られた超能力は、雑念にとらわれている人間にとっては有効であるが、三昧の境地に達した行者には修行の障害になると戒められている。瞑想の功徳はあくまでも自心の平安にあるのであって、超能力を得ることが瞑想修行の目的ではないからである。ちなみに霊能は「siddhi」で「悉地」と訳され、仏教では修行の成就や悟りを意味する。

ヨーガとは、厳しい修行によって獲得する「真我（puruṣa）」と「自性（prakīti）」との体認であるといわれるが、それによって出現する三昧の境地すなわち真理のみを保有する智としては「支配力・離憂霊能・照明智・最高直感智・法雲三昧」の五つの叡智が強調される。

その同じ静慮が、外見上、その思考する客体ばかりになり、自体をなくしてしまったかのようになった時が、三昧とよばれる境地である。（三章三節）

雑念の行が陰滅して、止滅の行が顕現する時、その止滅の刹那に心が不可分に結びつくことが、止滅転変といわれるものである。（三章九節）

心の静止状態の持続は、止滅の行から生ずるのである。（三章一〇節）

雑念状態に見られる、どんな客体にでも惹かれるような態度が消えて、心の専念状態が現れるのを、三昧転変という。（三章一一節）（前掲書）

三昧とは、思考するという自意識がなくなり、自心さえ客観できるような状態であると説く。また止滅転変とは、目に見える対象からもたらされる様々な雑念を消していく修行によって、観念の動きをコントロールし、意識の思慮分別を超えた完全な自由を得る境地のことである。

そしてさらにその境地がすすんで、おだやかな平安がおとずれる心境を「三昧転変」という。「転変」とは、トランスパーソナル心理学でいう変成意識状態のことである。

また「三昧（samādhi）」とは、「三摩地」とか「三摩提」とも音訳され、定・正定・正受・

正心行処・等持・等至・等念とも意訳されるが、その根本は、妄念を離れて心を一か所に集中して動乱させず、静寂安和の状態になることをいう。（『密教辞典』）

『三昧』の原義には上述した『ヨーガ』と同じく「組み立て・合成・組み合わせ」などの意があり、転じて「心を等しく保つこと、心の統一」を指し、この境地は「自分が瞑想をしているという意識の消滅」、「かたちのない瞑想」、「瞑想ならざる瞑想」、「瞑想を超えた瞑想」であるともいわれる。(15)

仏教の瞑想と相互に影響し合ったといわれるヨーガ・スートラであるが、その瑜伽行の最終目標である「真我の境地」とは何かといえば、

独存位とは、真我のためという目標のなくなった三徳が、自分の本源へ没入し去ることである。あるいは、純粋精神なる真我が自体に安住することだ、といってもよい。

（四章三四節）(16)

つまり、悟るという目標にも捉えられない「純粋意識（精神）」に安住することこそが、真実の悟りの境地なのである。これらのヨーガの行法は、原始仏教だけでなく後にチベットや中国あるいは日本に伝播されて、密教の瑜伽行に多くの影響を与えた。

◎初期・部派仏教と瑜伽行

初期・部派仏教の瞑想法は、サマタ・ヴィパッサナー（Samatha-Vipassanā）の瞑想修習にその源を観ることができる。そしてこれらの集中的瞑想法は、大師が『秘密曼荼羅十住

心論巻第四―唯蘊無我心』で扱う「声聞の三昧道」の論拠となる。(17)

出家比丘にとって、瞑想を行うことにどのような意味があったのか。東洋の聖書といわれ、もっとも古い仏教経典の一つといわれる『法句経(ダンマパダ:Dhammapada)』には、比丘の瞑想による心の在り方が説かれる。

『法句経』は、仏陀(釈尊)の説かれた言葉を、比較的原初のままの姿で伝えているといわれるが、その中に瞑想の原点となる「心のありかた」を説く文言が多く見られる。

(第三十五篇)止めがたく、かろやかで、欲するがままに振舞う心を制御することは、
　道に適う。制御された心は幸福をもたらす。

(第三十八篇)心が安定せず、正しい真理を知らず、信仰の確立しない者には智慧は
　完成しない。

(第一八一篇)瞑想に専念し、賢明で、〈欲望からの〉解放の静安を喜び、正しく目
　ざめて思慮深い賢い者は、神々すらもこれを羨やむ。

(第二八二篇)瞑想によってのみ智慧が生じ、瞑想がなければ智慧はない。この損得の
　二つの道を知って智慧が増し加わるように、そのように自身を置くがよい。(18)

初期仏教経典の「清浄道論」には、瞑想の原語(jhāna)を「定」と訳し、その定(瞑想)の意義や修習法(実践法)が説かれている。

　戒に住立し、有慧の人は　心と慧とを修習して

有勤有智なる比丘は　彼當にこの結縛を離脱すべし。(19)

この偈文からはじまる本論には、瞑想（定）とは何であるか、如何にして悟りに至るための瞑想をするのか、何が瞑想を修習するために必要なことであるか…等々の智慧が詳しく記されているが、「定」についてはこのように説く。

善の心一境性が定なり。法の威力によりて一所縁に対して心々所が平等に正しく散乱せずまた雑乱せずして住する、この法が等持なりと知るべし。(20)

また相応部経典『六處篇第六』には、「三昧」や「独想」の修練が説かれる。

比丘等よ、定（三昧）を修増せよ、比丘等よ、〔心に〕定ある比丘は〔事物を〕如実に知る。

比丘等よ、独想を行うことを務めよ、独想の比丘は〔事物を〕如実に知る。(21)

著者は、かつて二十代半ばにスリランカ国コロンボ市の僧院「スリランカ・ヴィチャーラーヤ」で、ひたすらヴィパッサナー瞑想を修習した。その僧院の八十名ほどの修行僧たちは、常に静かな立ち居振る舞いを実践しており、たとえ至急の用事であっても、彼らは決して走ったりはしなかった。心を安定させることが、比丘の原点と教えられているからである。三衣一鉢を遵守し、戒律を実践する僧たちの中に入って、ときに草庵や木陰で瞑想修行した懐かしい日々を忘れない。僧院の屋上間で、沈みゆく大きな夕陽を見つめながらの瞑想時間は、まさに至福のときであった。

「止観」とはサマタ・ヴィパッサナーの漢訳で、「止」は定、「観」は慧と解釈できる。『南伝大蔵経』の『相応部経典』にはこうある。

比丘等よ、何ものか無為に達するの道なる。比丘等よ、止と観、比丘等よ、これを称して無為に達するの道という。(22)

別章で詳細に記述する「マインドフルネス瞑想」のマインドフルネスとは、パーリ語の念(sati)あるいは正念(sammā-sati)あるいはサンスクリット語のスムリティ(smṛti)に由来することは多くの文献に登場する。

マインドフルネス瞑想で引用される「正念」の内容は、相応部経典『大篇』に

諸比丘よ、云何にして比丘、正念なるや。諸比丘よ、ここに比丘あり、身に於いて身を観じ熱心・正知・正念にして世間の貪憂を調伏して住し、受に於いて(中略)身においての(中略)法に於いて法を観じ熱心・正知・正念にして世間の貪憂を調伏して住す。諸比丘よ、是の如くにして比丘、正念なり。(中略)諸比丘よ、ここに比丘あり、進退するに正知して作し、観察するに正知して作し、屈伸するに正知して作し、僧伽梨・鉢衣を持するに正知して作し、飲食嘗味するに正知して作し、大小便するに正知して作し、行住坐眠悟語黙するに正知して作し、是の如くにして比丘、正知なり。諸比丘よ、比丘は正念・正知にして住すべし、此れ汝等の為の教戒なり。(23)

とあり、「止観」とは〈今・ここ〉への正しい見識を確認しつつ、あるがままの〈今・ここ〉の自己の内外の動作や、心の営みを静かに観想することなのである。

「念」は「憶念」とも訳され、のちに「十種の念」が説かれる。「十念とは念仏・念法・念僧・念戒・念施・念天・念滅・念出入息・念身・念死」である。（『仏教学辞典』）

その「十念」の静観をもって、四念処（身・受・心・法）を観想して瞑想三昧が深められるのである。

『入出息念経』（ānāpānasati-sutta）には、森や樹木の下、あるいは空間のある室内などで瞑想をするために、出入りの呼吸に注意を凝らし、洞察瞑想につながる瞑想の修習法としての身体・感受・観心・観法のプロセスが明示される。

仏陀の弟子比丘たちは、禅定をして心を随観し、自性を清浄に変容していくことを「四禅」としてくりかえし教えられる。そして『阿含経』『涅槃経』等の原始仏典や部派仏教経典から『摩訶止観』『華厳経』などの大乗経典や密教経典に至るまで、一九六六巻もの経論に「四禅」が登場し、それぞれに瞑想の深め方が教示されるのである。

『入出息念経』には、その四禅についての具体的な内容が詳しく説明されている。

比丘は、もろもろの欲を確かに離れ、もろもろの不善の法を離れ、大まかな考察のある、細かな考察のある、遠離から生じる喜びと楽のある、第一の禅に達して住みます。（中略）比丘は、大まかな考察、細かな考察が消え、内心が清浄の、心の統一された、大まかな考察、細かな考察のない、心の安定より生じる喜びと楽のある第二の禅に達して住みます。（中略）比丘は、喜びが消えていることから、平静にして、念をそなえ、正知をそなえて住み、楽を身体で感じ、聖者たちが「平静にして、念をそなえ、楽に住む」と語る、第三の禅に達して住みます。（中略）比丘は、楽を断ち、苦を断ち、以前にすでに喜びと憂いが消滅していることから、苦も楽もない、平静による念の清浄のある、第四禅に達して住みます。(24)

初禅は「欲望や不善から離れることによる喜び」、第二禅は「禅定から生ずる平安で安定した楽による喜び」、第三禅は「正しい念に住した真の喜び」、そして第四禅は「苦楽を超越した喜び」の境地である。

サンガ（僧伽）では、瞑想のときだけが静かな行道であるとされるのではなく、僧院生活のすべてにおいて、常に静かな心境が大切にされる。著者がかつてスリランカの僧院でラーマニヤ派の八十余名の比丘たちとの修行を経験したことは前述したが、彼らの僧院生活の教育は、先輩比丘からの指導を受けて、平静を保持した立ち居振る舞いをするように教えられる。僧院では得度式を経て、出家したばかりの子どもの僧が、境内を走って、先輩僧に咎められる微笑ましい光景がよく見られた。

そうやって、比丘同士が、互いに切磋琢磨しながら、心の内面を観察し、洞察して段階的な瞑想（禅定）を獲得していくのである。これは南方仏教に限られたことではなく、インドから北へ伝わる大乗仏教においても、比丘たちの集団であるサンガでの先輩比丘との関係は、総じて同じようなライフスタルを持っていたにちがいない。そのような修行生活の中から、やがて比丘らは、人生の四苦（生・老・病・死）を観察して四諦の省察を完成していくのである。

中部経典『念処経：Satipaṭṭhāna-sutta』では、四諦（苦諦・集諦・滅諦・道諦）の瞑想による五つの成就が説かれる。

有情の浄化　愁悲の超越　苦憂の消滅　理の到達　涅槃の作證（25）

である。こうした四諦の省察によって、生老病死にともなう人間苦としての煩悩の消滅と自心の浄化をはかり、愁いをのり越えることによって思い煩うことが消滅し、物事の道理を理解することで、ニルバーナ（涅槃）への道が開かれていくのである。

このようなヴィパッサナー瞑想を実践するための十種類の観想法が、『増一阿含經巻第四十二』（大蔵経⑤）に説かれている。すなわち「白骨想」「青瘀想」「膖脹想」「食不消想」「血想」「噉想」「有常無常想」「貪食想」「死想」「一切世間不可楽想」の十想である。

パーリ仏典にもまたその名称は異なるが、同趣旨の十想観が挙げられている。

①不浄想（asubha）　②死想（maraṇa）　③食厭想（āhārepaṭikkūla）

④一切世間不可楽想（sabbaloke anabhirata）　⑤無常想（anicca）　⑥苦想（dukkha）

⑦無我想（dukkha anatta）　⑧断想（pahāna）　⑨離想（virāga）　⑩滅想（nirodha）

これらの観想法は前の十念とともに、サマタ瞑想およびヴィパッサナー瞑想における洞察領域に関わるものであり、そこで観想される対象のすべてが、修行者自身の内面的観察と省察に資するものとなるのである。

密教瞑想の「五相成身観」については後述するが、その原点となる行が「自性清浄心」の獲得である。自性清浄心は、初期仏教から後の如来蔵思想にかけて重要なテーマとなっており、十住心を理解するうえでも欠くことはできないものである。

『大念処経（Mahāsatipaṭṭhānā-sutta）』第二二巻には、自心の観察智によって五取蘊（色・受・想・行・識）の浄化をはかる方法が提示される。身体の細部にわたる随観から入って、やがて心の諸相の随観に至る、まさに仏教瞑想の根幹部分である。

ここでは、冒頭部分の〈四念処〉についての教え、および〈八正道〉についての教えを要約して引用する。

このように私は聞いた――

あるとき、世尊は、クル国に住んでおられた。そこで、世尊は、比丘たちに話しかけられた。「比丘たちよ」と。「尊い方よ」と、かれら比丘は世尊に答えた。

世尊はつぎのように言われた。

比丘たちよ、この道はもろもろの生けるものが清まり、愁いと悲しみを乗り越え、苦しみと愁いが消え、正理を得、涅槃を目のあたりに見るための一道です。

すなわち、それは四念処です。四とは何か。比丘たちよ、ここに比丘は、もろもろの身において身を観《み》つづけ、熱心に、正知をそなえ、念をそなえ、世界における貪欲と憂いを除いて住みます。

もろもろの受において受を観つづけ、熱心に、正知をそなえ、念をそなえ、世界における貪欲と憂いを除いて住みます。もろもろの心において心を観つづけ、熱心に、正知をそなえ、念をそなえ、世界における貪欲と憂いを除いて住みます。もろもろの法において法を観つづけ、熱心に、正知をそなえ、念をそなえ、世界における貪欲と憂いを除いて住みます。（中略）

つぎに、比丘たちよ、「苦の滅尽にいたる行道という聖なる真理」とは何か。これは聖なる八支の道です。すなわち正見・正思惟・正語・正業・正命・正精進・正念・正定です。

では、比丘たちよ、「正見」とは何か。比丘たちよ、苦についての智、苦の生起についての智、苦の滅尽についての智、苦の滅尽にいたる行道についての智、があります。比丘たちよ、これが正見と言われます。

また、比丘たちよ、「正思惟」とは何か。欲を離れた思惟、怒りのない思惟、害意のない思惟、です。比丘たちよ、これが正思惟と言われます

また、比丘たちよ、「正語」とは何か。妄語から離れること、両舌から離れること、悪口から離れること、綺語から離れること、です。比丘たちよ、これが正語と言われます。

また、比丘たちよ、「正業」とは何か。殺生から離れること、偸盗から離れること、

邪淫から離れること、です。比丘たちよ、これが正業と言われます。

また、比丘たちよ、「正命」とは何か。ここに、聖なる弟子は邪な生活を捨て、正しい生活によって生活を営みます。比丘たちよ、これが正命と言われます。

また、比丘たちよ、「正精進」とは何か。ここに、比丘は、未だ生じていないもろもろの善の法が生じるように、意欲を起こし、努力し、精進し、心を励まし、勤めます。（中略）比丘たちよ、これが正精進と言われます。

また、比丘たちよ、「正念」とは何か。ここに比丘は、身において身を観つづけ、熱心に、正知をそなえ、念をそなえ、世界における貪欲と憂いを除いて住みます。（以下、受・心・法について同様の文が続く）比丘たちよ、これが正念と言われます。

また、比丘たちよ、「正定」とは何か。ここに、比丘は、もろもろの欲を確かに離れ、もろもろの不善の法を離れ、大まかな考察のある、細かな考察のある、遠離から生じる喜びと楽のある第一の禅に達して住みます。（以下81頁後ろから2行目「比丘は…」と同様の文が続く）比丘たちよ、これが正定と言われます。(26)


四念処・八正道・因縁等の省察は、仏教徒として瑜伽行を大成させる上で基本となるものであり、菩提心を醸成する重要な修行である。

密教の行法次第に引用される「四無量心（慈悲喜捨）」は初期経典『清浄道論』に「四梵住」としてその意義が詳しく説かれる。そして、四梵行としての瞑想法は、中国の天台智顗の著した『摩訶止観』『天台小止観』などに継承されていくのである。

◎止観と瑜伽行

仏教は、インドからシルクロードを通じて中国に伝播し翻訳されていった。その時代は紀元前二世紀頃ともいわれているが、初期仏教の『入出息念経』を翻訳したといわれる経典に、中国後漢時代（西暦二五〜二五〇年頃）に西域から渡来した訳経僧の安世高が訳した『仏説大安般守意経』があり、その文中に次の一節がある。

安般守意得自在慈念意。還行安般守意已。復收意行念也。

安爲身。般爲息。守意爲道。

これを意訳すると、「安」（āna）とは「入る息」であり、「般」（apāna）とは「出る息」、「守意」（sati）は「念」のことである。つまりここでは、身心を整えるために出入りの呼吸を繰り返して、慈悲の念に留まることを説くのである。

ところで右の経文に「守意爲道」つまり「念を道と為す」とあるが、漢訳経典に「道」という字が使用されるようになった背景には、中国文化の老荘思想が影響しているものと思われる。すなわち仏教は、当時の中国の人々に受け入れられ易いように、徐々にその思想や文化を融合させていったのである。

パーリ語やサンスクリット語を漢訳するときには、「音写」すなわち原語の発音をそのまま漢字に当てはめる場合も多いが、「サマタ・ヴィパッサナー」の漢訳語である「止観」は音訳ではなく、原語の意味を漢字で表した「意訳」である。

「止観」の具体的な意味には諸説あるが、後代になるにしたがってさらに吟味されていく。

『大乗起信論』には

云何が止観門の修行なるや。止と言うは、一切境界の相を止むるを謂う。随って奢摩他（サマタ）観の義なり。観とは謂因縁生滅の相を分別するを謂う。随って亦た毘鉢舍那（ヴィパッサナー）観の義なり。（私訳）

とあり、これを著者の言葉で言えば、「止」とは、自心の働きを止める意であり、具体的には日常的な迷いとなる思考や判断をやめて〈今・ここ〉に注視することである。また「観」とは、自心の内面で起こるすべての事物・事相（因縁消滅）を深く観察し、さまざまな存在の本質や経緯を洞察する智慧のことである。

中国天台宗の智顗は、法華経の修行論を『摩訶止観』『小止観』として著したが、これは中国仏教瑜伽行の古典として最も貴重なものである。以下、関口真大師校注の『摩訶止観』と『小止観』とに依りながら、智顗の教えを繙いてゆくことにする。

さて『摩訶止観』にも前述の『大乗起信論』と同じような止観の解釈がある。

止は即ち奢摩他（シャマタ）、観は即ち毘婆舍那（ビバシャナ）なり、他・那等しきが故にすなわち憂畢叉（ウビシャ）なり。(27)

また『天台小止観』『修習止観坐禅法要』（大蔵経⑥）には左のような「止観」の説明がある。

今止観を修するに二意有るを明らかにす。一には止を修するに自ら三種有り。一には繫縁守境の止。（中略）二は制心の止。所謂心の起る所に随て、すなはち之を制して馳散せしめざれ。（中略）三には體眞の止。所謂心の念ずる所に随て、一切諸法は悉く因縁より生ずと知る。（中略）因縁は無性なり、即ち是れ實相なり。先に所観の境を了すれば、一切皆な空なり。能観の心は自然に起らず。前後の文多く此の理を談ず。請ふ自ら之を詳にせよ。（私訳）

「止」には「繫縁守境の止、制心の止、体真の止」の三種があって、一つは心を鼻や臍などに集中して散逸しないようにすること、二つには五根から生ずる思念を制すること、三つめは、諸法は因縁より生じるもので無自性であると知って、妄念の心を対治することとある。

また「観」には「対治の観と正観」があり、対治の観である不浄観は淫欲をよくコントロールし、慈悲観は瞋りなどの抑制に有効である。そして正観とは、先の「体真の止」で得た実相を観ずる智慧のことであるという。

『摩訶止観』では、最終的にこの「止観瞑想」によって日常の心を整え、一念三千世界に思惟を広げることを教える。

それ一心に十法界を具す。一法界にはまた十法界を具して、百法界なり。一界に三十種の世間を具し、百法界はすなわち三千種の世間を具し、この三千は一念の心にあり。(28)

中国隋の時代に著された『無畏三蔵禅要』には、呼吸法・調気法についての記載があり、深い呼吸法によってこころを整え、心身の安定を図ることが説かれているが、中国の道教から発展した気功の技法も、また中国の瑜伽行と大いに相関しているにちがいない。

智顗の止観行では「調身・調息・調心」を中心に瞑想瑜伽を伝える。調身は身体を整えることであるが、調息については前述の『佛説大安般守意經』に、調息の呼吸法が記されている。

息有四事。一為風。二為氣。三為息。四為喘。有聲為風。無聲為氣。出入為息。氣出入不盡為喘也。

息には四事あり。一に風、二に気、三に息、四に喘なり。有声なるものが風、無声なるものが気、出入は息にして、気の出入して尽きざるものが喘なり。（私訳）

また『修習止観坐禅法要』（小止観）（大蔵経⑦）には

風を守ればすなわち散じ、喘を守ればすなわち結し、気を守ればすなわち労し、息を守ればすなわち定まる。またつぎに坐のとき、風気等の三相あらばこれを不調と名づけ、しかも心を用うる者にはまた患となる。心もまた定まり難し。もしこれを調えんと欲せば、まさに三法に依るべし。一には、下に著けて心を安んぜよ。二には、身体を寛放せよ。三には、気が毛孔にあまねく出入して通洞して障礙するところなしと想え。もしその心を細にすれば、息をして微微然たらしむ。息が整えば、すなわち衆患は生ぜず、その心は定まり易し。これを行者が初めに定に入るときに息を調うる方法と名づく。要を挙げてこれをいわば、渋ならず滑ならざる、これ息を調える相なり。(29)

と述べて、その生涯を観法に徹した智顗らしい実践的な調息法を明かしている。その調息の相は柔軟にして微細、深い含蓄が感じられるものである。調心とは、その名のとおり、まさしく心を調える瞑想法であり、そこにはインドから中国に伝わった仏教が、決して大乗のみではなく、部派仏教〜大乗仏教〜金剛乗（密教）と連なる瑜伽行体系をその生命としていることが窺えるのである。

ついでに云えば、ここで智顗がその豊かな実修体験から編み出した「寛放」「通洞」という瞑想法は、第二章で述べた著者の「緩和・集中瑜伽法〈ゆるめる瞑想〉」に通ずるものであることを、ご理解いただけるであろう。

さてあらためて紹介すると、〈摩訶止観〉は、天台止観を構成する三種止観（漸次止観・不定止観・円頓止観）の中の円頓止観についての解説書であり、併せて十巻から成る。『修習止観坐禅法要』（小止観）には初めの入定時の調心に「入定・住定・出定」の三義があることを述べる。

「入定」では心が散乱して集中できなかったり、そのことで胸の痛みなどが起きたり、眠ってしまうことへの指南があり、散乱する場合は、心の緊張を緩めて、気の流れを整え、頭から下へと流すことを促している。また眠気に対しては、身体をしっかり整え、想念を見極め、両目の間に気を集中することを教える。

「住定」においては、身・息・心を整えているときに不調になるときは、随時心を整える法を用いて、不適当なところを正すことを教える。

「出定」では、動作を慌てずゆっくりとした動きで、身体の各部分を動かし、手で体を軽くなでて柔軟にする。さらに息を吐き、心を整えて瞑想を終わることを教えている。

すなわちここでも、著者の提唱する緩和的呼吸法〈ゆるめる瞑想〉の重要性が説かれているのである。

『摩訶止観巻第一』（大蔵経⑧）にはこうある。

円頓《えんどん》とは、初めより実相を縁ず、境に造《いた》るにすなわち中（道）にして、真実ならざることなし。縁を法界に繋《か》け、念を法界に一《ひとし》うす。一色一香も中道にあらざることなし。己界および仏界、衆生界もまたしかり。陰入《おんにゅう》みな如《にょ》なれば苦の捨つべきなく、無明塵労即ちこれ菩提なれば集の断ずべきなく、辺邪みな中正なれば道《どう》の修すべきなく、生死すなわち涅槃なれば滅の証すべきなし。苦なく集なきが故に世間なく、道無く滅なきが故に出世間なし。純《もっぱ》ら一実相にして実相のほかさらに別の法なし。法性寂然たるを止《し》と名づけ、寂にして常に照らすを観と名づく。初後をいうといえども二なく別なし。これを円頓止観と名づく。(30)

この円頓止観は天台止観の究極を表したもので、あらゆる生存や存在の外に別に仏教的真理があるのではなく、現実の一色一香のどのような事象であれ、「中道」という真実にかなっていないものはないと述べ、「苦・集・滅・道」のいずれの真諦も「捨・断・修・証」すべきものはないと説いているのである。（『岩波仏教辞典』）

ここでの「止」瞑想は、すべての法を中道の心で静かに見つめることであり、「観」瞑想とは、生死をふくめたすべての存在が、仏の光明に照らされている真実を諦かに観る境地であることを伝えている。特に『摩訶止観』で注目すべきは、坐禅をしているときに起きるさまざまな心理的な現象を、細かく分析していることである。

『修習止観坐禅法要（小止観：修止観法門善根発相第七）』（大蔵経⑨）に、止観の目的として、初期仏教から継承された「息道・不浄観・慈心・因縁・念仏」の善根を発相することの重要さが説かれ、「無常・苦・無我・四諦」や「八正道・十二因縁」などの省察観法が詳しく開示されている。

またつぎに、行者が止観を修するに因るが故に、もし身心が澄静なるを得て、あるいは無常（想）・苦（想）・無我（想）・不浄（想）・世間の厭患すべき（想）・食の不浄（の想）・死（想）・断（想）・離（想）・尽（想）の（十）想が発するを得ん。念仏・（念）法・（念）僧・（念）戒・（念）捨・（念）天（等の六念）・（四）念処・（四）正勤・（四）如意（足）・（五）根・（五）力・（七）覚支・（八正）道・空・無相・無作（の三解脱門）・六度の諸波羅蜜、（六）神通・（十四）変化等の一切の法門が発する相も、このなかにまさに広く分別

すべし。故に経にいわく、心を一処に制すれば、事として弁ぜざることなし。(31)

この智顗の教えを中心にして、日本天台宗を開いた伝教大師最澄は、四つの大乗仏教を、綜合的に習得することを目指して「円・密・禅・戒」の四種相承を確立しようとした。

『摩訶止観』には天台の瞑想修行の基本が「大意・釈名・体相・摂法・偏円・方便・正修・果報・起教・旨帰」の十章で構成され、その第五巻に十種類の瞑想法が示されている。

観心に十の法門を具す。一には観不可思議境。二には起慈悲心。三には巧安止観。四には破法遍。五には識通塞。六には修道品。七には対治助開。八には知次位。九には能安忍。十には無法愛なり。(中略)

この十重の観法は、横竪に収束し微妙精巧なり。初めはすなわち境の真偽を簡《えら》び、中ごろはすなわち正助あい添え、後はすなわち安忍無著なり。意円《まど》かに法巧みに該括周備す。初心に規矩とし、行者を将送して、かの薩雲に到らしむ。暗証の禅師、誦文の法師のよく知るところにあらざるなり。けだし如来が積劫《しゃっこう》に勤求するところ、道場に妙悟するところに由る。身子の三たび請ずるところ、法譬の三たび説くところ、まさしくここにあるか。(32)

『摩訶止観』第八巻『観病患境』(大蔵経⑩)では、人の病態や病相を整理し、その要や治癒法が説かれている。それによれば、病相は五臓にわけて説き示し、病気の原因となるものを因縁、治病法、損益として説き、止観という瞑想を規範に基いて実修することの意義を説く。

病を観ずるは、五となす。一には病の相を明し、二には病の起る因縁、三には治法を明かし、四には損益を明かし、五には止観を明かす。(33)

病気になる因縁(原因と縁生)については、四大(肉体)がそもそも不順である時、飲食が不節制である時、瞑想坐禅がうまく調整されない時、鬼神の病(霊障)時、業病(前世の因縁)の時などで、さらにそれらを具体的に説明する。

その治病法に関しては、今日の養生にも通ずる勝れたものといえる。

いま坐禅に約し、略して六治を示す。

一には止、二には気、三には息、四には仮想、五には観心、六には方術なり。(34)

これを箇条書きにして簡単な解説を付せばこうなる。

① 止は心を安定させて過剰な動きを止める。
② 気を充実させて瞑想の心境を確立する。
③ 深呼吸をして息を整える。
④ 仮想、つまり仏を心にイメージして画く。
⑤ 観心とは自らの心を内省すること。
⑥ 方術とは、快癒に導くための医療的方法。

ここには、まず自らの自然治癒力を瞑想によって高める意義が説かれている。瑜伽瞑想を行ずることによって、心が安定するだけでなく、身心をコントロールし日々の健康を保持し、病的な心境から恢復して、平安な心身状態と落ち着いた暮らしを保持することの功徳が、丁寧に説明されているのである。

また『摩訶止観』巻第八の上には、十法という瞑想手段によって病気を治療し、心身の安楽をもたらす治病法が述べられている。

よく十法を具すれば、かならず良き験《しるし》あり。一には信、二には用、乃至、第十には遮障を識る。信は、これ道の元なり、仏法の初門なり。癩を治する人は、血これ乳なりと信ず。駱駝の骨をこれ真の舎利なりと敬うがごとし。決《さだ》んで、この法よくこの病を治すと信じて、狐疑を生ぜざれ。（中略）

もしよく十法を具足して上の諸の治をもちうれば、益あること定んで疑いなし。われまさに汝のために保任すべし、この事ついに虚ならざるなり。(35)

ここでは、単に病を治す為の具体的な方法を述べているのではない。むしろ病としっかりと向き合い、病の根本を治療する為の心構えが的確に説かれているのである。病態を正しく理解し、それを快癒するためにはどういう方法があるのかを各自が研究努力し、時間をかけて工夫することが重要なのである。

そうして日常生活での禁忌事項を知り、運動や飲食の心得などを弁えて、病気との関係に注意して生きることを教え、さらにそのような心を持って、瞑想的な調和した身心を保つようにと説き、そうした様々な工夫方便によってこそ病む心が自然に癒され、有益な境地に到達することができると結んでいる。

天台や法華で説かれる「一念三千」観は、まさに瑜伽瞑想の心の広がりを表したものであり、宇宙心につながる心境である。従ってまた、密教の世界観とも符合するのである。

ちなみに中国では、仏教・密教のほかに、道教が人々の生き方に大きな影響を及ぼしており、道教は仏教や儒教と並ぶ中国の三大宗教の一つとして、永くその歴史の中で人々の信奉を集めてきた。漢訳経典にある「定」とか「心」などの訳語の背景には、多分にこうした中国の文化や思想の影響があったことを知るべきである。

紀元前四〇三～前二二一年頃の斉代に書かれたといわれる『管子（内業篇）』を研究した石田秀実は、「定心が身中にあるので、耳や目がはっきりとし、手足もしっかりする。（こうした定心こそ）精の宿り場となりうるものである」とし、「精とは、気の精微なものだ」として、精がもともとは人の身体に降臨する神霊であり、「定まった心」こそ「こころ」の宿であると説いている。(36)

瑜伽瞑想の「ディヤーナ（dhyāna）」が「禅定、禅那」と訳され、「止観」の止は「定」、観は「慧」と解釈されたことにも、こうした歴史的背景の影響があったのかもしれない。

◎唯識と瑜伽行

仏教では「縁起」あるいは「縁生」を重視する。「縁起」は原始仏典から大乗や金剛乗に至るまで、じつに多くの経論に登場する用語で、サンスクリット語で「プラティートヤ・

サムトパーダ（pratītya-samutpāda）」という。また、縁起とは「すべての現象は無数の原因（因 hetu）や条件（縁 pratyaya）が相互に関係しあって成立しているものであり、独立自存のものではなく、諸条件や原因がなくなれば、結果（果 phala）もおのずからなくなる」ということでもある。（『広説仏教語大辞典』）

また縁生とは「縁起によって生じたもの」、あるいは「現象的存在が相互に依存しあって生じている」ことであり、「諸の因縁によって生じ、因縁によって現れるもの」という解釈もあり、「縁とはあらゆる条件」ともいわれる。

釈尊の最初の縁起説は初転法輪で六人の弟子らに説かれたもので、『縁起法頌（Vinaya pitak. Mahāvagga）』にあるパーリ語原文とその読み方を紹介すると、このようなものである。

Ye dhammā hetuppabhavā　イェー ダハンマー ヘートゥッパブハヴァー
tesaṁ hetuṁ tathāgato āha,　テーサン ヘートゥン タタハーガトー アーハ
tesaṁ ca yo nirodho　テーサン チャ ヨー ニロードホー
evaṁ-vādī mahāsamaṇo.　エーヴァン ヴァーディー マハサマノー

漢訳偈文では「諸法従縁生　如来説是因　是法従縁滅　是大沙門説」がよく知られているが、ここでは著者が親しんできた偈文と和訳を示す。

諸　法　従　縁　起　　如何なる事物も因縁によりて生起す
如　来　説　此　因　　如来はそれ等の原因を説くなり

彼 法 因 縁 尽　またそれ等の滅尽をも
是 大 沙 門 説　大沙門はかくの如きの主張者なり（37）

縁起の教えは、すべてのものはつながりがあるという真理であり、人や物の関係性を示唆する重要な言葉や概念として、現在でもアジア諸国で大切にされている。

『雑阿含經第二十二』（大蔵経⑪）には十二因縁が詳細に説かれるが、同じパーリ仏典『Saṃyutta Nikāya（相応部経典）』には釈尊の言葉としてこうある。

比丘等よ（我）汝等に縁起を説かん。（中略）比丘等よ、無明に縁りて行あり、行に縁りて識あり、識に縁りて名色あり、名色に縁りて六處あり、六處に縁りて触あり、触に縁りて受あり、受に縁りて愛あり、愛に縁りて取あり、取に縁りて有あり、有に縁りて生あり、生に縁りて老死・愁・悲・苦・憂・悩が生ず。是の如きが全苦蘊の集なり。比丘等よ、これを生起といふなり。無明の無餘・離貪・滅によりて、行の滅あり、行の滅によりて識の滅あり、識の滅によりて名色の滅あり、名色の滅によりて六處の滅あり、六處の滅によりて触の滅あり、触の滅によりて受の滅あり、受の滅によりて愛の滅あり、愛の滅によりて取の滅あり、取の滅ありて有の滅あり、有の滅によりて生の滅あり、生の滅によりて老死・愁・悲・苦・憂・悩の滅あり。是の如きが全苦蘊の滅なり。世尊は是の如く宣《の》べたまひ、彼等諸比丘は世尊の所説を〔聞きて〕歓喜随喜しぬ」（38）

すなわち十二縁起は、凡夫としての有情の生存を構成する要素を「①無明②行③識④名色⑤六処（六入）⑥触⑦受⑧愛⑨取⑩有⑪生⑫老死」として示し、この縁性の連なりを順逆に思惟・観察して、人の生存の価値と意義の実態を諦観するのである。

「十二縁起」の教えは、自覚的な人間の生存（有）は精神の主体である識の活動から始まるが、その識の活動が生活経験（行）となり、その生活経験の蓄積によって逆に識が内容づけられることを説く。

つまり、「識」の活動は感覚器官（またはその機能）である眼・耳・鼻・舌・身・意の六根（六処）を通じて認識の対象であるすべての心や物（名色）と接触（触）することによって、これを主観の上に感受（受）することにあるが、凡夫にあっては、識は無明（仏教真理に対する無自覚）を内相とし、渇愛（求めて飽くことなき我欲）を外相とする。

客観的対象にはたらきかける識の根基的な相は、このように渇愛に他ならず、かつ渇愛が発展すると、すべてのものを我が物として取り込もうとする執着（取）となる。これが俗にいう「我執」である。

それ故に、このような染汚《ぜんま》としての識の活動（行）によって内容づけられた識は、それ相応に生・老・死などに代表される人間苦や無常苦を経験しなければならない。これに反して聖者においては、無明および渇愛がないために人間苦もないのである。（以上『仏教学辞典』）

「十二縁起」は、真理に到達するためには、生老病死にまつわる様々な欲望や執着を造りだす〈無明〉を克服することを教える。この無明という煩悩への認識を深め、煩悩による苦悩の輪廻から解脱する方法が、ブッダの説いた四諦の道なのである。

いいかえれば「十二縁起」は、人間存在が苦悩や煩悩を生み出すことの縁生を、瞑想によって深く観察し洞察することの重要性を説き、そうした観察と洞察によって人間生活における憂愁や悲嘆や苦悩を乗り越え、安楽な心境を確立する道しるべを示しているのである。

仏教は、インドの部派仏教から大乗仏教の如来蔵思想に発展するが、すでに阿含経にも衆生の心に宿る如来蔵の字句が登場することからも判るように、インドでは伝統的に観法を中心とする穏やかな瞑想から生み出された「識」への省察が実修されており、それが瑜伽行派の「唯識思想」に展開したといえるだろう。

初期大乗経典『般若経』の「一切皆空」や『華厳経』十地品の「三界唯心」にも通ずる唯識の思想は、中期大乗仏教経典である『解深密経』『大乗阿毘達磨経』によって確立されたといわれるが、その基底には、瑜伽行（瞑想）を重視する行者集団による、実修を通した長い思索と論究があったと考えられる。

瑜伽行唯識派の大論師たちは、初期仏教との違いを〈大乗〉として示したが、それを要約すると次の七分類となる。

①教法の大なること（菩薩蔵の広大さ）
②発心の大なること（無上正等覚に対するひたむきな発心）
③信解の大なること（教法の大なることに対するひたむきな信頼）
④意楽の大なること（信解行地から意浄地への悟入）

⑤資糧の大なること（福徳と智慧資糧の達成による無上正等覚の悟り）
⑥時間の大なること（無上正等覚を悟るまでの膨大な時間）
⑦達成の大なること（無上正等覚）(39)

瑜伽行派の論書は弥勒（マイトレーヤ）を発祥として、無著（アサンガ）と世親（ヴァスバンドゥ）の兄弟によって大成された。無著は『摂大乗論』を、世親は『唯識三十頌』や『唯識二十論』を著し、『唯識三十頌』では八識説を唱え、部分的に深層心理学的傾向や生物学的傾向を示した。（ちなみに弥勒に関しては歴史上の実在人物であるか、兜率天の弥勒菩薩であるかの二説があり、未だに決着していない）

唯識思想の中心ともいえる「八識」を概観すると次のようになる。

本来仏教は、無我説という主体的自我を認めないスタンスをとりながらも、他方では因縁因果の教えのなかで善因楽果、悪因苦果という自業自得の法則を主張してきた。因果を保証する主体の相続を説明するための唯識説は、すべての現象の因として業を起こし、その結果を受ける「阿頼耶識」を立て、主体としての意識作用とさらには阿頼耶識の超意識性を説いてきた。(40)

唯識の概要を理解するには、まず、こころという存在を「主体的側面」と「作用的側面」とに分けて考えてみる必要がある。（以下の唯識説の紹介は、そのほとんどを横山紘一の著書『唯識思想入門（第三文明社）』に依拠している）

まず「識」という漢語の語源には、梵語のヴィジュニャーナ（vijñāna）とヴィジュニャプティ（vijñapti）との二つがある。その意味するところは「了別」「知る」「見分ける」「理解する」等であるが、特に前者のヴィジュニャーナは心的活動の主体に名づけられた総称であり、現代でいう感覚・知覚・思考・感情などのすべての心理作用を含む。そして後者のヴィジュナプティには、「知らせること」「表すこと」という意味がある。

唯識の研究家である横山は、唯識の識が、ほとんどヴィジュニャプティのほうを用いていることを強調し、唯識説とは、ただに主観的な認識作用のみがあるという教説ではなく、客観と主観との両者を含めたあらゆる存在はすべて、ただ表されたもの、知らされたものにすぎないと主張する説なのだ、と指摘している。

唯識説では、心的活動の主体的側面を「心王」、作用的側面を「心所」というが、前者の心王を「眼識・耳識・鼻識・舌識・身識・意識・末那《まな》識・阿頼耶識」の八識に分類する。

はじめの五識は通常の視覚・聴覚・嗅覚・味覚、触覚に相当し、意識は五識にともなう記憶や想像や連想や推量を行い、また五識とは関係なしに一切の事物を対象に自由に憶念し、思惟推量を加える機能をもち、常時において末那識の介入をうける。

末那識は、つねに（寝ても覚めても）審《つまび》らかに自我に執して推量する。そして以上の七識の始原であり根基として阿頼耶識がある。「阿頼耶」は、「蔵」の意味を持つために「蔵識」とも訳され、一切のものの種子をおさめて保持し、あらゆる識を産み出すのである。

また心所とは、心所有法の略で、心王に従属して起って外境を認知する作用をなし、大きくは遍行・別境・善・煩悩・随煩悩・不定、細かくは五十一心所に分類される。

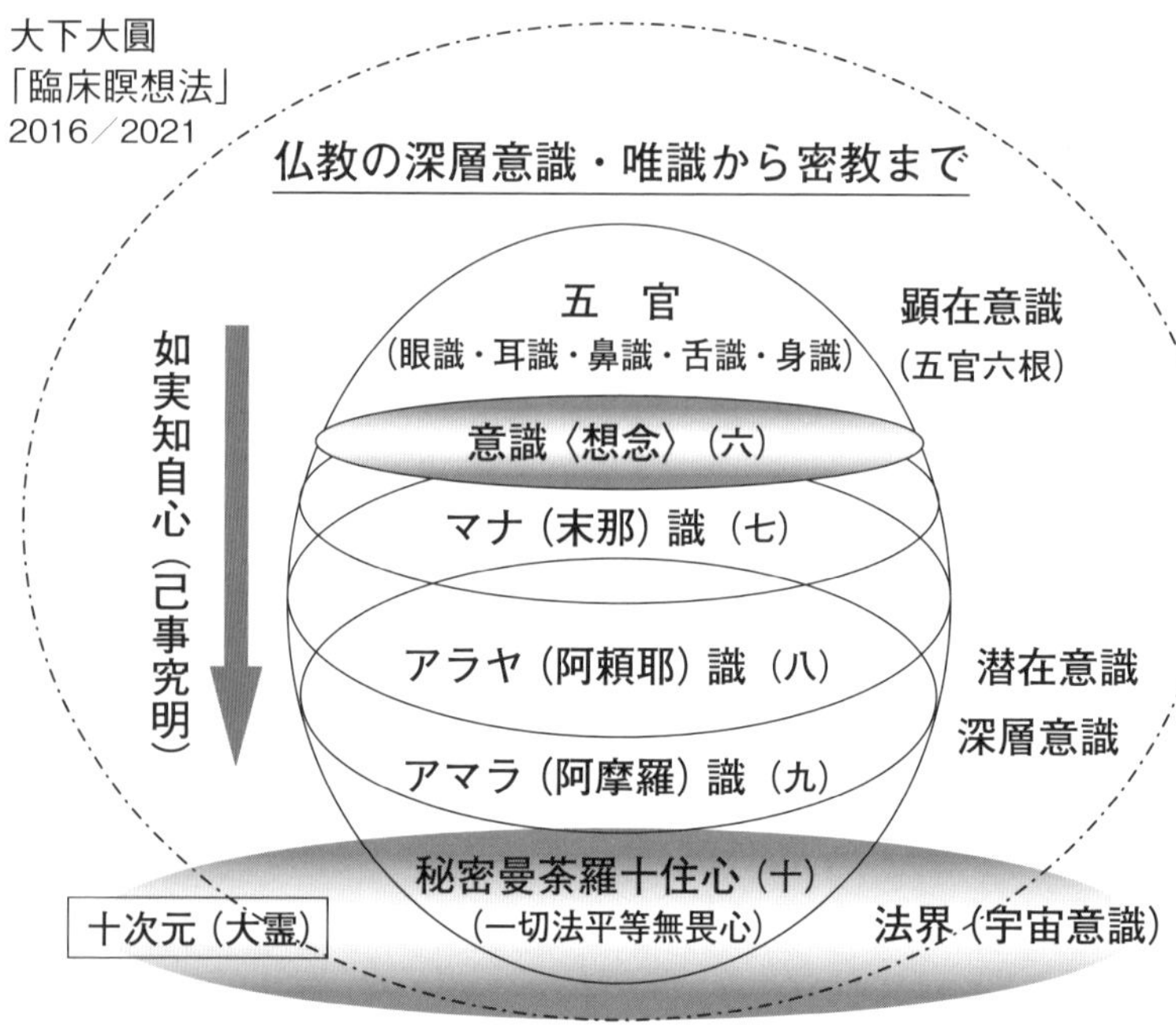

『成唯識論』には、阿頼耶識の別名として、「心・阿陀那・所知依・種子識・阿頼耶・異熟・無垢識」の七種をあげている。そして阿頼耶識を自己存在の根源体としての質的向上をめざすものとして位置付けるが、この阿頼耶識の中心的機能を横山は、現代的な用語を用いて、

1．自己の生命と自然界とを維持せしめる基体
2．自我意識の対象
3．前世の行為の結果

と分類している。

密教の五相成身観で重視される五智のうち大日如来の境地を示す「法界体性智」以外の智を唯識では四智としているが、この四智は多くの経論に登場する。

その中で『成唯識論』（大蔵経⑫）では、四智を次のように説く。

云何が四智相應の心品なるや。一には大圓鏡智相應の心品。謂く、此の心品は諸の分別を離れたり。（中略）二は平等性智相應の心品。謂く、此の心品は一切法と自他の有情とは悉く皆平等なりと觀ず。（中略）三には妙觀察智相應の心品。謂く、此の心品は善く諸法の自相と共相を觀ずるに、無礙にして轉ぜり。（中略）四には成所作智相應の心品。謂く、此の心品は諸の有情を利樂せむと欲するが爲の故に、普く十方に於て種種の變化の三業を示現して本願力の所應作事を成ず。是の如き四智相應の心品は、各々定んで二十二法の能變と所變と種と現と有りて倶生すと雖も而も智用を增して智名を以て顕す故に、此の四品は總じて佛地一切有為の功徳を攝して皆な盡すなり。（私訳）

四智を易しく説明すると左のようになる。


大円鏡智（ādarśa-jñāna）は、鏡のようにあらゆるものを差別なく現しだす智。

平等性智（samatā-jñāna）は、自他すべてが平等であることを証する智。

妙観察智（pratyaveksạṇā-jñāna）は、平等の中に各々の特性があることを証する智。

成所作智（kṛtya-anuṣṭhāna-jñāna）は、あらゆるものを完成に導く智。（『岩波仏教辞典』）

中国法相宗の伝えるところでは、「転識得智」を経て、阿頼耶識が大円境智と成り、末那識が平等性智、第六識が妙観察智、そして前五識が成所作智と成るとされている。

『解深密經』（大蔵経⑬）では、後に法相宗の三性説に発展する三相説が打ち出される。

謂く諸法の相に略して三種有り何等をか三と爲す。一には遍計所執相、二には依他起相、三には圓成實相なり。云何が諸法の遍計所執相なるや。謂く一切法の名假安立の自性と差別なり、乃至言説を随起せしむるが爲なり。云何が諸法の依他起相なるや。謂く一切法の縁生の自性なり、則ち此れ有るが故に彼有り、此れ生ずるが故に彼生ず。謂く無明は行に縁じて乃至純大苦蘊を招集す。云何が諸法の圓成實相なるや。謂く一切法の平等の眞如なり。（私訳）

三相とは「遍計所執相・依他起相・円成実相」である。「遍計所執相（性）とは、概念的構想によって実態のあるごとく妄想されたもの。依他起相（性）とは、因縁によって生起され、従って固定したものでなく実態はないもの。円成実相（性）とは、完全にして真実なるもの」である。

『般若経』の「空性」の思想から発展した唯識思想では、最終的に完成された本質として「真如（tathatā）」「法性（dharmatā）」「無自性（niḥsvabhāvatā）」が繰り返し説かれ、『十地経（Daśabhūmika-sūtra）』や『大智度論（Mahā-prajñāpāramitā-śāstra）』（大蔵経⑭）などでは、大乗仏教で重視される菩薩道の十の修行過程が述べられている。

すなわち菩薩地とは「歓喜地・離垢地・有（発）光地・増曜（焔慧）地・難勝地・現在（前）地・深入（遠行）地・不動地・善根（慧）地・法雲地」である。

『法門備忘録』、『二巻本訳語釈』、『大集（欽定語彙集）』を比較対訳した石川美恵の解釈から十地の内容を紹介すると次のようになる。

歓喜地は、菩提に近づいたことと衆生利益の成就とを見ることによって、強い喜びが生じること。離垢地は、邪な行いに耽る垢から離れていること。有（発）光地は声聞と独覚の地を越えたところの清浄なる三昧の蘊である知恵の大いなる光明の場所へと転じ得ること。増曜（焔慧）地は、煩悩を焼く〔ものであるところの〕菩提分の火の光を発すること。難勝地は、声聞と独覚を越えたところの四聖諦を修習し、輪廻と涅槃の両者に住さない般若を、完全に清浄にし、修習することは非常に難しいので、「征服しがたい地」或いは「成就しがたい地」のこと。現在（前）地は、般若波羅蜜に依拠することにより、輪廻と涅槃との両者に現前すること。深入（遠行）地は、無相に住する行の究極に至るから、また世間と出世間の劣った道より非常に飛び抜けていること。不動地は、智力波羅蜜が完成したことによって、無相が完全にそろっており、智力によって相を滅して少しも生じないこと。善根（慧）地は、無礙解の力によって法を説く。すなわち、利他行を備えるから善慧を持つこと。法雲地は、般若波羅蜜が完成したので、例えば大きな雲から雨が降ったら、荒野から初めて芽が出るように、智慧と悲心〔の〕雲のようなものが、有情の何もない心のようなものに法の雨を降らせて善なる作物を生じ増大することである。(41)

これらの十のそれぞれの境地は、菩薩道としての完成（波羅蜜）を目指すものであるが、一般に到彼岸と訳される波羅蜜（pāramitā）は、元々「完全であること、最高であること」を意味する言葉であり、瞑想瑜伽行によって涅槃という悟りを得ることにある。

大乗仏教の経典でありながら、初期仏教や部派仏教の主な行法を取り入れているのが唯識思想の特徴であるが、大乗仏教では、同じく初期仏教の代表的な徳目である「六波羅蜜」を拡大して、実践修行としての「十波羅蜜」を説く。

「六波羅蜜（Ṣaṭpāramitā）」は、すでに『増一阿含經』の「具足六波羅蜜疾成無上正眞等正覺」（『大正大蔵経』第二巻・六四五頁）など大蔵経典中の一千五百余巻に用例があり、出現回数も五千百七十万余件を数えるというが（SAT 大蔵経 DB 2018）、「十波羅蜜」は『阿含経』にも散見し、『成唯識論』「修習位」でも菩薩の修行としての十波羅蜜が説かれる。

十波羅の内容は、菩薩の重要な実践徳目である布施（Dāna）、持戒（Śīla）、忍辱（Kṣānti）、精進（Vīrya）、禅定（Dhyāna）、智慧（Prajñā）に、方便（Upāya）、願（Praṇidāna）、力（Bala）智（Jñāna）の四波羅蜜を加えたもので、これにより前出の菩薩の十地と関連づけるのである。また密教においては、金剛界曼荼羅に四波羅蜜菩薩が登場し、「常・楽・我・浄」の涅槃の徳を讃える。

瑜伽行唯識派では、伝統的仏教の瞑想修行として不浄観や慈悲観を重視し、最終的には修行者が瞑想対象と一体となるような観想を行う。そして自らの身体への省察から、より深い精神的な心意の省察へと段階的に進み、「空性」すなわち「真如」を得ることによって大円鏡智としての阿頼耶識に到達し、完全なる真実（円成実相）を成就するのである。

『大乗荘嚴經論』(大蔵経⑮)には、瞑想による『五種の修行段階』が開示されている。それを箇条書きにすると次のようになる。

①「能持」:人無我・法無我を聞き、それについて思惟を深める
②「所持」:理にかなった精神統一で客体の執着を離れる
③「鏡像」:鏡の映る二元構造の誤認や固執を捨てる
④「明悟」:実在(非有)と非実在(非有)を見分ける
⑤「転衣」:究極道から仏の境地に到達する(42)

天台宗や華厳宗は第八識の上に、さらに阿摩羅識(amala-vijñāna)を立てる。

この阿摩羅識について各種の経論に述べるところを挙げると、まず龍樹造真諦訳と伝える『十八空論』(大蔵経⑯)では、阿摩羅識は自性清淨心であるとして次のように述べる。

問ふ、若し爾らば既に自性に不淨なること無くして、亦た應に自性に淨なるも有ること無かるべし。云何ぞ法界は淨に非ず不淨に非ずと分判せんや。答ふ、阿摩羅識は是れ自性清淨心なり。但だ客塵の爲に汚さるるのみなるが故に不淨と名づくるも、客塵が盡くるが爲の故に立てて淨と爲すなり。(私訳)

また『大乗荘嚴經論』(大蔵経⑰)には

偈に曰く。已に心性淨なるも 客塵に染せらる爲と説く 心眞如を離れて別に心性淨あるにあらず。釋して曰く。譬へば水性は自ら清きも、而も客垢の爲めに濁せら

る。是の如く心性も自淨にして而も客塵の爲めに染せらる。此の義は已に成せり。是の義に由るが故に、心の眞如を離れて別に異心あるにあらず。謂ゆる依他の相を説いて自性清淨と爲す。此の中應に知るべし、心眞如を説いて之を名づけて心と爲す。即ち此の心を説いて自性清淨と爲す。此の心即ち是れ阿摩羅識なり。已に怖畏を遮せり、次に貪罪を遮せん。（私訳）

と説き、さらに『華嚴經内章門等雜孔目章』（大蔵経⑱）には次のようにある。

謂く心意識なり。三に八識を成ずるに、眼等の五識意識末那識阿頼耶識なり。四に九識を成ずるに、謂く阿摩羅識を加えるなり。五に十心を成ずるに、謂く十稠林なり。地論に云ふが如く、是の菩薩、如實に衆生の諸心、種種相心、雜相心、輕生不生相心、無形相心、無邊一切處衆多相心、清淨相心、染不染相心、縛解相心、幻起相心、隨道生相を知れり。（私訳）

これらの経典に説かれる八識は阿頼耶識であり、九識は阿摩羅識、十識十心である。その境地は菩薩の心であり、如実に衆生の諸々の心を知り、無形相の心であり、清浄な心である等と説く。阿摩羅識は自性清浄心であり、中観や唯識思想では主に八識までの阿頼耶識を三成八識とし、阿摩羅識は四成で、十心において五成心となることを説く。

この十心は、高祖大師の十住心に関連するとの研究の有無は承知しないが、約一三〇〇年前、我が国に最も早い時期に伝播した経典である華厳経（七四〇）は、毘盧遮那如来の世界を「一即一切、一切即一」として説き、大師の『秘密曼荼羅十住心論』では、密教の前の九番目に華厳の教えが布置されている。

『大方廣佛華厳経』「十住品第十五」（大蔵経⑲）には、法慧菩薩が無量方便の瑜伽三昧によって、仏刹微塵数の諸仏より神力加持を受ける場面が説かれる。

佛智を増長せんが為の故に、深く法界に入るが故に、善く衆生界を了するが故に、所入無礙なるが故に、所行無障なるが故に、無等方便を得るが故に、一切智の性に入るが故に、一切法を覚せるが故に、一切根を知るが故に、能く一切法を持説するが故に、謂ゆる諸菩薩の十種の住を発起せり。善男子よ、汝は當に佛の威神力を承けて此の法を演べよ。是の時に諸佛は即ち法慧菩薩に、無礙智・無著智・無断智・無癡智・無異智・無失智・無量智・無勝智・無懈智・無奪智を與えたり。（私訳）

同じく『大方廣仏華厳経』『十住品第二十六の一』（大蔵経⑳）にはこうある。

爾の時、金剛蔵菩薩は仏の神力を承けて菩薩の大智慧光明三昧に入れり。是の三昧に入り已りて即時に、十方各十億の佛刹微塵数の世界の外を過ぎ、各十億の佛刹微塵数の諸佛有り。同じく金剛蔵と名づけて其の前に現じ是の如き言を作す。善き哉、善き哉、金剛蔵。乃ち能く是の菩薩大智慧光明三昧に入れり。善男子よ、此れは是の十方各十億の佛刹微塵数の諸佛の共に汝を加持せん。毘盧遮那如来應正等覚の本願力を以ての故に、威神力の故に、亦是れ汝が勝智の力故なり。（私訳）

瑜伽三昧に入って、自心を深く洞察することはすでに、ヴィパッサナー瞑想で説明したが、華厳経においては、更に法（ダルマ）との融合において、具体的に十種類の住心をあらゆる角度から洞察する。

仏の神力・威神力（加持力）は、法身仏から放たれた大智慧光明であり、その瑜伽三昧に入ることで、十方各十億という無限的な広がりを持つのである。それは毘盧遮那如来の本願力であり、諸仏の灌頂を受けることである。この華厳経の中に、『大日経』の「重重帝網を即身と名づく」の深い意味を思量することができる。すなわち『華厳経』の十住心は、高祖大師の『秘密曼荼羅十住心論』に少なからぬ影響を与えているのである。

大師の十住心論に示される九顕十密は、自心を段階的に阿頼耶識に至るまで省察して、究極の自性清浄を獲得し、さらに発展させて無住処涅槃という悟りをめざす。唯識の禅定(Dhyāna)は、実に原始仏教・部派仏教・大乗仏教・密教の中に連綿として継続された、悟りを目指す一貫した瑜伽行の修行体系にあるといっても過言ではない。

◎浄土系の瑜伽法

調身、調息、調心の禅定を重視する栄西の臨済禅や道元の曹洞禅は、中国達磨大師の禅仏教を源泉とするが、日本の瞑想瑜伽には、天台の摩訶止観や小止観も大きな影響を与えている。

一方、浄土系の瞑想は、中国では主に善導大師などによって教えが広がった。その浄土思想は平安末期に日本に伝播し、比叡山や高野山で最初の極楽世界をイメージした浄土思想として展開していくことになる。中国の天台止観の影響を受けた善導大師は浄土を目指す菩薩の修行を説く『観無量寿経疏（観経疏）』を著した。

浄土宗系列の瞑想に関する経典はいくつかあるが、ここでは瑜伽行に関連するものとしてこの『観無量寿経』を選んでみる。

『観無量寿経』は『観経』ともいわれて、内容は王舎城の阿闍世王子がその父である頻婆娑羅王を捕えて七重の牢に閉じ込め、やがてその王を敬い牢外から援助する韋提希夫人も幽閉してしまう。そこで失意の底に沈んだ韋提希夫人は心中で、一切の憂いや悩みから逃れる途を仏に求める。この韋提希夫人の要請に応じてブッダは、あらゆる苦を解脱する法を説き、それによって最終的には夫人が大安心を得るという物語である。

その説法の中でブッダは、西方極楽浄土へ生まれるための三つの善行（三福）の修行を説く。三福とは「①父母などに孝行し十善を修める。②三宝に帰依し戒律をまもる。③菩提心を発し、因果の道理を知って人々を教化する」ことである。

この経典を〈瞑想〉の視点から考察して集約すれば、『観無量寿経』は「極楽国土・無量寿仏・観世音菩薩・大勢至菩薩」を観じて「業障を浄除し諸仏の前に生ずる」境地に達するための〈観法〉を説く経典と言っても過言ではない。すなわち『観無量寿経』自体がこうした瞑想法の指南書であり、ここで挙げられている無量寿（阿弥陀）仏・観世音菩薩・勢至菩薩のいわゆる「阿弥陀三尊」は、あくまでも〈観法〉の本尊として説かれているとも言えるのである。

経中で説かれる観想は、まず西に向かって正坐し、日が沈むのを静かに観想する「日想観」から始まる。『佛説觀無量壽經』（大蔵経㉑）から引くと、このようになる。

西方を想うべし。云何が想を作さん。凡そ想を作すに、一切衆生は自ずから生盲にあらざれば、目ある徒は皆な日の没するを見よ。まさに想念を起して正坐して西へ向い、諦らかに日を觀ずべし。心を堅住させて想を移すことなく専らにして、日の沒せんとするその形の懸鼓のごとくなるを見よ。既に日を見已れば、目を閉じ目を開いて明了ならしめよ。是を日想と爲し、名づけて初觀という。（私訳）

『国訳一切経』を手がかりとして、第二観から第十六観までを紹介すると次の如くになる。

初観（第一）は、正座して、西に向かい、諦かに日を観ずべし。第二の観は苦・空・無常・無我の音を演説する「水想」、第三の観は極楽国の地を見る「地想」、第四の観は樹茎・枝葉・華果を観て分明ならしむ「樹想」、第五の観は念仏・念法・念僧を讃ずる「八功徳水の想」、第六の観は極楽世界の宝樹・宝地・宝池を見る「総観想」、第七の観は十方面において意に随いて変現して仏事を施作する「華座の想」、第八の観は麁想に極楽世界を見る「像想」。第九の観は十方無量の諸仏を現前に授記する「遍く一切の色身を観ずる想」、第十の観は「観世音菩薩の真実の色身を観ずる想」、第十一の観は大勢至菩薩を見る「大勢至の色身を観ずる想」。

第十二の観は「無量寿仏の極楽世界を見る普観想」、第十三の観は阿弥陀仏を助けて普く一切を化す「雑想観」、第十四の観は三小劫を経て百法明門を得て歓喜地に住す「上品上生の者」「上品中生の者」「上品下生の者」の「上輩生想」、第十五の観は一小劫を経て阿羅漢を成ず「中品上生の者」「中品中生の者」「中品下生の者」の「中輩生想」、第十六の観は時に応じて菩提の心をおこす「下品上生の者」「下品中生の者」「下品下生の者」の「下輩生想」。この三昧を行ずる者は、現身に無量寿仏および二大士を見たてまつることを得る。（私訳）

この観無量寿経は人生の苦悩や迷い、そして思い通りにならないことを自覚し、自然界の水の本質や樹々の本質を見極め、やがて光の本質に還っていく魂の向上を教えている。浄土思想は、平安時代から鎌倉時代にかけて比叡山で修行した源信の『往生要集』を中心に庶民に受け入れられ、法然、親鸞によって念仏称名の信仰が末法思想と相俟って爆発的な拡がりをみる。

こうした念仏称名系の瞑想は観想とも観念とも言えるが、一般には「四種念仏」と呼ばれている。四種念仏とは、

①口称念仏（仏名を口に称える）②観像念仏（仏の形像を念観する）③観想念仏（仏身の具体的な特徴を観想する）④実相念仏（仏の実相たる法身を観想する）（『岩波仏教辞典』）のことで、

この影響を受けた源信が著した『往生要集・巻中』には「別相観・惣相観・雑略観」の観

想法がある。仏の観察法としての「別想観」とは、仏相を一つ一つ具さに観察する法。「惣相観」は仏相を全体的に観察する法。そして「雑略観」は特定の仏相を観察する法である。この三つの観想を自分の意楽（好み）に従って選ぶことが推奨されるが、いずれにしても極楽往生するために阿弥陀仏の相好を目の当たりに観察する方法であることに違いはない。仏教では如来の身体的特長を三十二相八十種好として示すが、ここでは阿弥陀仏四十二相の特色が示されている。

源信は比叡山に住しながら、当時中国より伝来したさまざまな教論を基に、独自の往生思想を打ち立てたが、「天台止観」を学んだ源信だからこそ、阿弥陀仏念誦の修行法を瑜伽三昧として重要視したのである。

源信の『往生要集』（大蔵経㉒）には左のような文言がある。

此の坐に於て神通を運ばず、悉く諸佛を見たて上《まつ》り、悉くその説く所を聞き、悉く能く受持せんと欲せば、常に三昧を行ずるを諸功徳の最も第一と為す。此の三昧は是れ諸佛の母、佛の眼、佛の父なり。無生大悲の母なり。一切諸如来は此の二法（慈悲・智慧）より生じたまえり。（私訳）

仏の教えを聞いて実践したいと思えば「常に三昧（瑜伽瞑想）を行ずべし」とあり、その功徳は絶対平等の慈悲と智慧を生み出すものであると説かれている。

『往生要集』ではこのように臨終に於ける心構えが説かれるが、人生の集大成であるその時にこそ、浄土の瑜伽三昧を実覚知することが重要であると明示されているのである。

◎チベット密教の瑜伽行

本書では、チベット密教の瞑想法を詳細に説明するほどの紙面的余裕はないが、それに加えて浅学の著者には、チベット仏教の概略やその瞑想法について十分に語るだけの力量も具わっていない。ただし仏教瞑想の全体像を概観する本章において、チベット仏教の瞑想について述べることを避けるわけにはいかないので、ここではチベット仏教研究の先駆者の教えのエッセンスを学び取ってみたい。

著者は、現在のチベット仏教界の代表であるダライ・ラマ法王の講演（説法）を四度ほど拝聴した。特に高野山大学で開催された「金剛界灌頂」入壇の折には、法王から面授において吉祥布の「カタ」を首にかけて頂き、この上なく感動したことを覚えている。

さて、真言密教が中期密教とされるのに対して、チベット仏教はインド後期密教の流れを汲むものとされている。そして後期密教の始まりとされる『秘密集会タントラ』は『金剛頂経（真実摂経）』の思想の重要な部分を継承して発展させたといわれる。(43)

中でも聖者流の究竟次第『パンチャクラマ（Pañcakrama）』は①金剛念誦 ②一切清浄 ③自加持 ④楽現覚 ⑤双入で構成され、②の一切清浄次第には行者が瑜伽に入って顕現する内的な光を主題として、明・明増・明得・清浄光明の四種の徳が説かれる。

行者が風つまり呼吸を制御しつつ、それを中央の脈管に流入させて心臓の中心に収束させることによって、三種の〈明〉が現れ、それを融合させることで一切空たる清浄光明が顕現し、解脱にいたるのである。

前述の①〜⑤の次第のうち、第④までが行法次第であり、第⑤の双入はその果とされ、一切空により解脱した瑜伽者には輪廻と涅槃、能執（主体）と所執（客体）、般若と方便などの対立概念が解消し、一切の具足円満を成就すると説かれる。（前掲書）

またチベット瞑想法には「鎮静的瞑想」と「分析的瞑想」があり、鎮静的瞑想は「一定の対象——呼吸・心の本性・概念・視覚化したイメージなど——に間断なく集中すること」であり、分析的瞑想は「知的思考や創造的思考を利用するもので、精神的成長に重要な役割をはたす」とされる。そして二つの瞑想が統合されていく金剛乗（密教）の「観法」としての瞑想には「諸仏の瞑想」、「光の身体の瞑想」、「浄化の瞑想」、「愛・智慧・慈悲・歓び・寛容の瞑想」などがある。(44)

精神と身体との相関において瞑想が完成していくことや、ヨーガと瞑想との関連については これまでにも述べてきたが、チベット仏教やチベット医学においても、「クンダリニー・ヨーガ」（kundalini-yoga）の影響を受けたさまざまな瞑想法やタントラが伝持されている。チャクラ（cakra）については、「身体の中心を流れる脈管に存在するとされ、金剛乗では輪・法輪・宝輪等と呼ばれ、日本密教の伝法灌頂の儀式においても活用されている。特にこれを受者の両足に挟んで、無上法輪を転ずる意義として活用される」とある。（『密教辞典』）

このチャクラは、インドでは七つあるいは六つに分類されていて、大日経とチャクラの

種子	ヨーガ・チャクラ
	Sahasrara
oṃ	Ājñā
haṃ	Viśuddha
yaṃ	Anāhata
raṃ	Maṇipūra
vaṃ	Svādhi-ṣṭhāna
laṃ	Mūlādhāra

密教の精神集中位置とヨーガ・チャクラの対比
（山崎泰廣 1976）

密教・集中位置	種子	
頂上	khaṃ	
眉間	haṃ	
喉	(ka)	
心臓	raṃ	
臍	vaṃ	
陰蔵相	(ya)	a
最後分	(ta)	

関連を研究した山崎泰廣師は、上図のようなチャクラ構成図を挙げている。[45]

チベット密教で「大いなる完成」を意味する「ゾクチェン（rdzogs-pa chen-po）」という真理探究の教えを基にその瞑想を考察すると、菩提心の核となるセムデ（sems-sde）という心の本性を理解する助けとなる。

悟りを意味する菩提心（bodhicitta）については前述したが、仏教の一般的な解釈では顕教と密教の違いを強調する。顕教での菩提心は、「はじまりのない死と再生の循環である輪廻から解放され、ブッダのような最高の悟りを決意する」というものであるのに対して、密教のそれは「自然状態に於てあるがままの完成」を自覚することにほかならない。

菩提心はチベット語で「チャン・チュブ・セム（byang-chub sems）」と表記され、

セム（心）はチャン（はじまりから清らか）とチェブ（完成している）との二つの性質から「慈悲の無碍なるエネルギーである心は自然においてそのまま完成している」という解釈になるという。(46)

金剛乗の分類においては、クリヤタントラ（kriyā）、チャリヤタントラ（caryā）、ヨーガタントラ（yoga）、マハータントラ（mahā）、アヌタントラ（anu）、アティヨーガ：無上瑜伽（anuttara yoga：ゾクチェン）の階梯があり、ヨーガタントラの修行の多くでは瞑想が重視され、観想によって本尊と行者が一体となる体験が中心となる。特にマハータントラでは、段階的な変容儀式次第（生起次第）に則って「顕現と空性との不二」を悟ることを目的とした、本尊とマンダラの複雑な観想を行なう。

またアヌタントラは、究竟次第によって「楽と空性との不二という境地（bde stong zung jug）」を体験する瞑想であり、その土台として霊的な脈官とチャクラをそなえた人間の身体が重視される。そしてアティヨーガ（ゾクチェンタントラ）では、心の本性である「セムデ（sems-sde）」と三昧に入るための四つの方法をしめした「ロンデ（klong sde）」と、三昧の境地にとどまり続けるための方法・口伝を伝える秘訣の部をあらわす「メンガギデ（man-ngag gi sde）」との三種の教えがある。

これらのチベット仏教の瞑想法は「ブッダの境地はすべての有情の心に等しくつねに存在しており、すべての生きものは解脱や悟りを得るための潜在的な可能性をもっている」という原初的・根源的な仏性論に立脚している。(47)

ゾクチェンの修行で人生に対する態度を変える四つの瞑想法では、「①人間として生まれることが貴重な機会であること ②生は無常であること ③カルマの原因と結果 ④輪廻はすべて苦しみである」との理解によって、心性を鍛錬するのである。(48)

ゾクチェンの教えを学ぶテキストとして書かれた『原初のヨーガの道を進む―昼と夜のサイクル』には、次のような空性の説明がある。

心の本性は、もともとの始まりから空にして実体がない。
無のごとく、しかも光明が輝きでるさまは、水に映し出される月のようだ。
空性と光明が不二である、至高なる明知の原初の知恵は、
その自性において、自然状態で完成をとげていると理解する。(六節)

また瞑想中の思考や解脱の境地については次のように示される。

禅定においては、朦朧とした状態(昏沈)や興奮(放逸)におちいることなく、
透明にして明晰、深遠な本来の境地にとどまる。
この本来の境地にあって、思考を呼び出し、投げ捨て、反復し、増幅させても、
不動(の境地)のまま、みずからの土台にとどまることによって、自然に解脱する。(一五節)
禅定においては、五つの門の対象を分析せず、
光明に輝き、不動にして無執着の放松の境地が生じる。
禅定の後は、形を持ったあらわれも、実在しないごとくに顕現するなど、

六識の対象とむすびついた原初の知恵が生まれる。(二一節)

そのような瞑想修行によって得られる境地は、次のように示される。

煩悩がないから輪廻の因から離れている。

それをニルヴァーナと呼ぶけれども、(それは単なる寂ではなく)

無作為にして、自然状態で完成している一切のすぐれた徳の集積が、

太陽が空に昇るがごとく、透明な光として輝き出る(五十節)

この方法は、信仰、精進、覚醒(臆念)、三昧、般若の知恵の

能力をそなえている者たちが行ずるのにふさわしい。

このように、最高の乗り物において教えられているとおり、

好適なよい条件が円満に完成するように、知るべきである。(五一節)(49)

チベット仏教も日本の密教も、身体、口(言葉)、意(心)からなる三密を仏の三密との統合性で説くが、特にチベット仏教ではブッダの三身を、「心の本性の次元としての法身、潜在的なエネルギーの次元としての報身、より物質的な次元としての変化身」として、光を放つ金剛薩埵の境地を具現化する瞑想が行われてきた。

そして、このような境地を弟子に伝えることのできる僧侶を、「グル(指導者)」と呼び、アヌヨーガの『密意集会』に説かれる様々なグルの徳目として、「外的には、さまざまな疑いを断ち切ってくれた知者たるグル、内的には、秘密真言の口伝を説いてくれた慈愛深き

グル、秘密には、不生なる心の本性を教えてくれた根本のグル、自然なる土台のグル、清浄なる自心のグル、顕現する象徴のグル、人間の血脈のグル」という七つの特質が示されている。(50)

ところで、チベット仏教の瞑想法が勝れた健康法でもあることは、その瞑想法がチベット医学と密接な関係にあるからだと思われる。つまりチベット仏教の医学においては、薬学の裏づけによる病気の診断・処方・治療・療養などの一連の流れの基礎として、人の身体の各部分に対する解明が十分に行き届いているために、その治病はもちろん、健康法においても勝れた英知が蓄積されており、その実績から、心身を一元的に捉えた見識が成立しているのである。

さて最後に、一四世紀チベットの天才的学僧にして成就者だったというギェルワ・ロンチェンパの、所作タントラについての見事な解釈を紹介しておく。

(身体、衣服の清浄を中心にする流儀と、観想を中心にする流儀のうち、後者は)生起次第と究竟次第の萌芽形態として、広観と斂観の観想によって本尊の修行をする。そして、目に見える現象、耳に聞こえる音、心にわきおこってくる思考はすべて本尊であるブッダの体、言葉、心だと観想するのである。(51)

以上、チベット仏教の精要を具体的に説明することは出来なかったが、最後に著者なりの要点をまとめていえば、密教の修行とは、健全なる心身を以て本尊と一体になるための瞑想的境地を獲得することであり、それによって宇宙の心に融合して悟りに至ることであるが、それらは具体的には仏陀の悟りの境地を、一連の作法や手順を伴った瞑想プロセスによって体現することに他ならないのである。

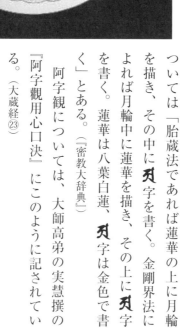

◎密教瑜伽と阿字観

真言密教の観想として「阿字観」が重視されることはよく知られている。その本尊図については「胎蔵法であれば蓮華の上に月輪を描き、その中に𑖀字を書く。金剛界法によれば月輪中に蓮華を描き、その上に𑖀字を書く。蓮華は八葉白蓮、𑖀字は金色で書く」とある。（『密教大辞典』）

著者自坊本堂什物

阿字観については、大師高弟の実慧撰の『阿字観用心口決』にこのように記されている。（大蔵経㉓）

此の阿字に空・有・不生の三義有り。空とは森羅万法、皆な無自性にして是れ全き空なり。然も因縁に依って仮諦の現じて万法歴然として之れ有り。（中略）空有は全く一体なり。是を常住と云う。常住とは則ち不生不滅なり。是を阿字大空当体の極理と名づく。然るに我等が胸中に此の字を観ずるに、自然に此の三義（空・有・不生）を具足す。此の三義を具するは即ち大日法身なり。此の観門に入る行者は、初心と雖も生死輪廻永く絶して行住坐臥、皆な是れ阿字観を離るることなし。易行易修。而も速疾に頓悟するなり。（私訳）

このように真言密教では、教理の哲学的方面においても阿字、宗教信仰の対象たる本尊、即ち教主も阿字、その悟りの妙理も阿字本不生際、妙境に達する方法も阿字観、阿の一字は密教の根本であり全体であるとして尊重されているのである。（『密教辞典』）

また大師の『吽字義』のなかには

阿字の義とは、訶字の中に阿の声あり、すなわちこれ一切字の母、一切声の体、一切実相の源なり。(52)

とあるが、阿字観に月輪が用いられる所以としては、『菩提心論』に

我れ自心を見るに形、月輪の如し。何んが故に月輪を以て喩となすとなれば、満月円明の体は即ち菩提心と相類せる為なり。（中略）所以に観行者は、初めに阿字を以て本心中に分明に発起して、只だ漸く潔白分明ならしめて無生智を證せよ。それ阿字とは、一切諸法本不生の義なり。（私訳）

とあり、月輪は瑜伽行者の菩提心そのものであり、阿字は本不生であると説かれている。この本不生の語義にはいくつかの解釈があるが、『大毘盧遮那成佛經疏』第七巻（大蔵経㉔）

にはこのように述べる。

経に云く。「阿字門一切諸法は本不生の故に」とは、阿字は是れ一切法教の本なり。凡そ最初に口を開く音に皆な阿の声あり。若し阿の声を離れれば則ち一切の言説なし。故に衆声の母と為す。凡そ三界の語言は皆な名に依る。名は字に依る。故に悉曇の阿字を亦た衆字の母と為す。当に知るべし。阿字門真実の義も亦た是の如く、一切法義の中に遍ずるなり。（中略）是の如く観ずる時は則ち本不生際を知る。是れ万法の本なり。（中略）若し本不生際を見る者は即ち是れ実の如く自心を知る。実の如く自心を知るは即ち是れ一切智智なり。故に毘盧遮那は唯だ此の一字を以て眞言としたもう。（私訳）

阿字観の背景には初期仏教の止観行に見られる観察瞑想があり、それが洞察瞑想につながっていることを見逃してはならない。さらには、上述した『阿字観用心口決』に阿字の三義として「空・有・不生」が挙げられていることからも判るように、阿字観と『中論』との関連にも注目すべきであろう。

龍樹作・鳩摩羅什訳と伝える『中論・巻四』（大蔵経㉕）には、その重要な文言がみられる。

諸法に定性有らば、則ち因果等の諸事も無し。偈に説くが如し。

衆因縁生法を　我は即ち無と説く　亦た是れ仮名にして　中道の義と為す

未だ曾て一法として　因縁に従わずして生ぜしものあらず

是の故に一切の法は　是れ空ならざるもの無し
衆因縁生法を　我れは即ち空と説く。何となれば、衆縁具足和合して物生ず故に。是の物は衆因縁に属するが故に自性無し。自性無きがゆえに空なり。空も亦た空なり。但だ衆生を引導せんが為の故に仮名を以て説く。有無の二辺を離れるが故に名づけて中道と為す。是の法は無性なるが故に有と言うを得ず。亦た空も無きが故に無と言うも得ず（私訳）

このように、阿字観瞑想の根底には、前出の唯識の項でもふれたような縁起生や空性を本旨とする中観の思想が含まれていることを、密教者は忘れるべきではない。このことは中観思想の影響を受けたチベット仏教のグルヨーガの瞑想法に阿字が活用されていることからも言えることである。その瞑想法では、菩提心ないし明知を象徴する白い𑖀字と、それを取り囲む五色の光の円輪（ティクレ）を、心臓のチャクラまたは額に観想する。[53]

このように阿字観法は決して日本特有の観法ではなく、身体と精神の統合化を意図する密教瞑想の具現化そのものであることを理解しなければならない。

さらに、阿字を起点に「五部真言」が五輪塔を形成する阿字観や月輪観の功徳も説き明かされる。善無畏三蔵訳の『佛頂尊勝心破地獄轉業障出三界秘密三身佛果三種悉地眞言儀軌』（大蔵経㉖）には、

五部真言は是れ一切如来無生甘露の珍漿醍醐にして、仏性の妙薬なり。一字、五蔵に

入れば万病生ぜず。況や日観と月観とを修するをや、即時に仏身の空寂を證せん。

これ阿・鑁・覧・唅・欠の五字法身の真言なり。（中略）

阿は金剛地部一（阿字は地観と金剛座観とを作す。形は四角、色は黄。大円鏡智。又は金剛智と名く）。

鑁は金剛水部二（鑁字は水観と蓮華観とを作す。形は満月の如く、色は白。妙観察智。又は蓮華智、亦は転法輪智と名く）。

覧は金剛火部三（覧字は日観を作す。形は三角、色は赤。平等性智。亦は灌頂智と名く）。

唅は金剛風部四（唅字は月観を作す。形は半月の如くにして、色は黒。成所作智。亦は羯磨智と名く）。

欠は金剛空部五（欠字は空観を作す。形は満月の如く色は種々。法界性智なり）。（中略）

方・円・三角・半月・団形は地・水・火・風・空の五大所成の故に、この卒塔婆変じて摩訶毘盧遮那如来となる。身色は月の如く、首に五佛の冠を戴き、妙紗縠を以て天衣とし、瓔珞を以てその身を荘厳す。光明は普く十方法界を照し、皆な月輪に倚る。四仏・四波羅蜜・十六・八供養・四摂・賢劫の千仏・二十天等、無量無辺の菩薩を以て眷属とす。（私訳）

とあり、五輪をもって形成された五大のそれぞれの色や形や働きが明確に示されている。

高野山奥の院に居並ぶ多くの五輪塔はこうした教えを元に日本社会に定着し、暗黙のうちに定観という瞑想の意義が説かれているといえよう。

阿字を観じて瞑想する阿字観瞑想は、究極は大日如来の瞑想であり、さらには大日経の説く宇宙観を体得する瞑想法であると論ずる山崎泰廣師は、阿字の徳目を次のように現代的に集約している。

①あらゆる文字の最初は𑖀であり、阿字は万物の本源、本不生の意義をもつ。
②阿字は行者自身である。
③阿字は一切真言の法門を生み出す。
④『大日経』は終始一貫して阿字を説く。
⑤万物は阿字から生まれ、育てられ、そして阿字に帰っていく。
⑥𑖀は一切の音声と文字を生み出す母であり、大日如来のメッセージである。
⑦「如実知自心」とは阿字本不生を悟ることであり、それは大日如来の境地である。
⑧阿字は胎蔵界と金剛界の両部を包含するものであり、さらにすべての仏教を摂するものである。(54)

このように、阿字観は決して易行的瞑想法ではなく、顕教の二利をも習得した上で実践することが要求される、むしろ高度な瞑想法であり、さらには阿字観を行ずることは三昧耶に入ることであり、瑜伽行の本質を貫くことにもなるのである。

『大日経』(『大毘盧遮那成仏神変加持経・真言事業品』第五)には、

当に三昧耶の真言と密印とを以て頂の上に於て、之を解いて而も是の念を生ずべし（中略）斯の秘密の荘厳に由るが故に、即ち金剛の如き自性を得、能く之を組壊する者無し。凡そ其の音声を聞き、或いは見、或いは触るること有らば、皆必定して阿耨多羅三藐三菩提に於て、一切の功徳皆悉く成就す、大日世尊と等しうして、異ることあることなきなり。（私訳）

とあって、「三昧耶真言と印をもって加持解脱をし、金剛のごときの自性を保持する者は、あらゆる世界の視聴を可能にして、悟りを成就する。それは大日如来と同等である」とされている。

さらに大師は、この三昧耶の語源として『秘密曼荼羅十住心論』巻三（大蔵経㉗）で、

次に修定を明さん。定とは梵には禅那《ぜんな》という。旧には思惟修といい、または功徳林という。新には静慮という。義翻じて定となす。いわく所観の境において心心所をして専注せしむるを性となす。もし三昧耶《さまや》といわば、これには等持《とうじ》という。もし三《さ》摩地《まじ》といわば、これには等至《とうし》という。もし三摩呬多《さまきた》といわば、これには等引《とういん》という。もし三摩鉢底《さまばってい》・三摩鉢帝《さまばってい》といわば、これには均等《きんとう》という。みなこれ定なり。(55)

として瑜伽の根本である定を禅那と訳し、心を散逸せずに集中して一所に定める三昧耶を等持や等引や均等として、すべてが定であると説く。すなわちこの三昧耶や禅定による観法こそが密教瑜伽の根幹と言っても過言ではない。そしてこの観法による本尊との相応

渉入を「入我我入」というのである。

さらに『大日経』（『大毘盧遮那成佛神變加持經』第二巻『入曼荼羅具縁眞言品』第二之餘）（大蔵経㉘）には、三昧耶行の根幹となる真言道や加持の意義が説かれる。

秘密主、云何が如来の真言道なるや、謂わく此の書写の文字を加持せよ。如来は無量百千倶胝那庾由多劫に、真実の諦語と四聖諦と四念処と四神足と十如来力と六波羅蜜と七菩提宝と四梵住と十八佛不共の法とを積集し修行したまえり。秘密主、要を以て之を言わば、諸の如来の一切智智と一切如来の自福智力と自願智力と一切法界の加持力とを以て、衆生に随順して其の種類の如くに真言教法を開示したもうなり。云何が真言教法なるや、謂わく阿字門一切諸法は本より不生なるが故に。（中略）真言の三昧門は一切の願を円満す。所謂諸如来の不可思議の果なり。衆の勝願を具足するは真言の決定義なり。三世を超越して無垢なること虚空に同じく、不思議心に住して諸の事業を起作し、修行地に到る者に不思議の果を授く。是れ第一真実なりと諸佛の開示したもう所なり。もしこの法教を知りぬれば、当に諸の悉地を得べし。最勝真実の声と真言と真言の相とを、行者は諦らかに思惟して、当に不壊の句を得べし。（私訳）

行法次第の中に、字輪観が組み入れられる意義は、真言種字のもつ功徳力であり、阿字観法の基底となる部分であるといえよう。さらに瞑想瑜伽の三昧を獲得するためには、初期仏教（縁覚・声聞乗）から菩薩道の重要な行道とされる四聖諦（苦・集・滅・道諦）、四念処（身・受・心・法＝身を不浄、受を苦、心を無常、法を無我なりと観ずる）、四神足（欲・勤・心・観）、十如来力（如来のみが具える十種の智力のことで処非処智力・業異熟智力・静慮解脱等持等至智力・根上下智・種種勝解智力・種種界智力・遍趣行智力・宿住随念智力・死生智力・漏尽智力）、六波羅蜜（布施・持戒・忍辱・精進・禅定・智慧）、七菩提宝（七覚支：念・択法・精進・喜・軽安・定・捨）、四梵住（慈・悲・喜・捨）、十八仏不共の法（仏の十八の特質：十力、四無所畏、三念住、大悲）等の修行を積み重ねることの重要性が説かれる。

このようなプロセスを経て、仏智の三昧道を修習し、如来の一切智智と一切如来の自福智力・自願智力・一切法界加持力が具わるのであり、それによって声聞乗・縁覚乗・菩薩乗・秘密金剛乗のそれぞれの重要な瞑想瑜伽行が統合化されることを『大日経』は丁寧に教示しているのである。

◎入我我入観と加持力

密教の三昧に入る作法に「入我我入」観がある。入我我入とは「真言行者が悉地を得る根本としての観想である。入我我入観は、古代ウパニシャッドの中にも認められ、インド思想の特徴といえる」とあり（『密教辞典』）、仏教以前から行われてきたインド伝来の修行法の一つである。行法次第の身密行としての「入我我入観」は、金剛界、胎蔵界の両部経典に散見される。

大師撰『大日経開題』には、

「加持」とは、古くは仏所護念といい、また加被という。しかれどもいまだ委悉を得ず。加は往来渉入をもって名となし、持は摂して散せざるをもって義を立つ。すなわち入我我入これなり。(56)

とあり、入我我入とは仏によって行者が守られ、仏との「往来渉入」によって仏に摂入すると説かれている。

不空三蔵訳『金剛頂経大瑜伽秘密心地法門義訣』(大蔵経㉙)には、

秘密義とは、薩怛梵は我入入我、護とは喜躍、蘇囉多とは妙極、三昧耶とは等引なり。謂く等引し、入我我入して、彼等喜躍妙極するなり。佛加持の故に智印にて印す。印は経に説くが如く解すべし。(私訳)

とあり、ここでは仏が加で行者が護であるとの意から、まず行者が真言を唱えて仏に入り、我に仏が入る如き観念をして、帰依法悦、妙安心と共に瞑想に入ることによって、仏が我に入り行者が仏に入り、そのときに行者は智拳印を結べとある。

まさに瑜伽行とは、このような入我我入観に他ならない。そしてその瑜伽は、一一の行法修法において実践するしかないものである。

『秘蔵記』には、

吾が身をもって諸仏の身に入るならば、吾れ諸仏を帰命す。諸仏の身をもって吾が身に入るれば、諸仏、吾を摂護したまう。吾が口業を以て諸仏の口業に入るれば、吾れ口業を以て実の如く諸仏の功徳を讃嘆す。諸仏の口業を以て我が口業に入るれば、諸仏説法教授して我を加持したもう。我が意業実相の理を以て、諸仏の意業実相の理に入るれば、吾れ諸仏の心及び吾が自心を知る。諸仏の意業実相の理をもって、吾が意業実相の理に入るれば、諸仏、観照門を以て我れを開示したもう。(57)

とあって、ここでも三平等観をもって、まず我が身から仏に入って帰命し、のちに仏が我が見に入ることで仏の加護を受けることが説かれる。そして三密互いに渉入することが、「入我我入観」となるのである。「観照門」の観とは『秘蔵記』に「大円鏡智に住して、諸仏を己体に引入すること」とあり、すなわち我入によって諸仏の加持力で己の慈門を開くことになる。

また道範の『行法肝葉鈔中』(大蔵経㉚)には、

今の入我我入は彼の二佛の本質、自性と互相に渉入す。法性圓融は全体に相入の故に云々。観念せよ、本尊の身、吾が身に渉入す等といっぱ、且《しばら》く身を挙げて余の二に摂すなり。具には三密の互相渉入を観ずべし。(私訳)

とある。これらのことから、入我我入観は身口意の三密を通じて、行者の心身全体による仏との融合観想であることが自明となるのである。

観想の大家である山崎泰廣師は、このような入我我入観のイメージ図を作成されているので、ここに紹介しておく。

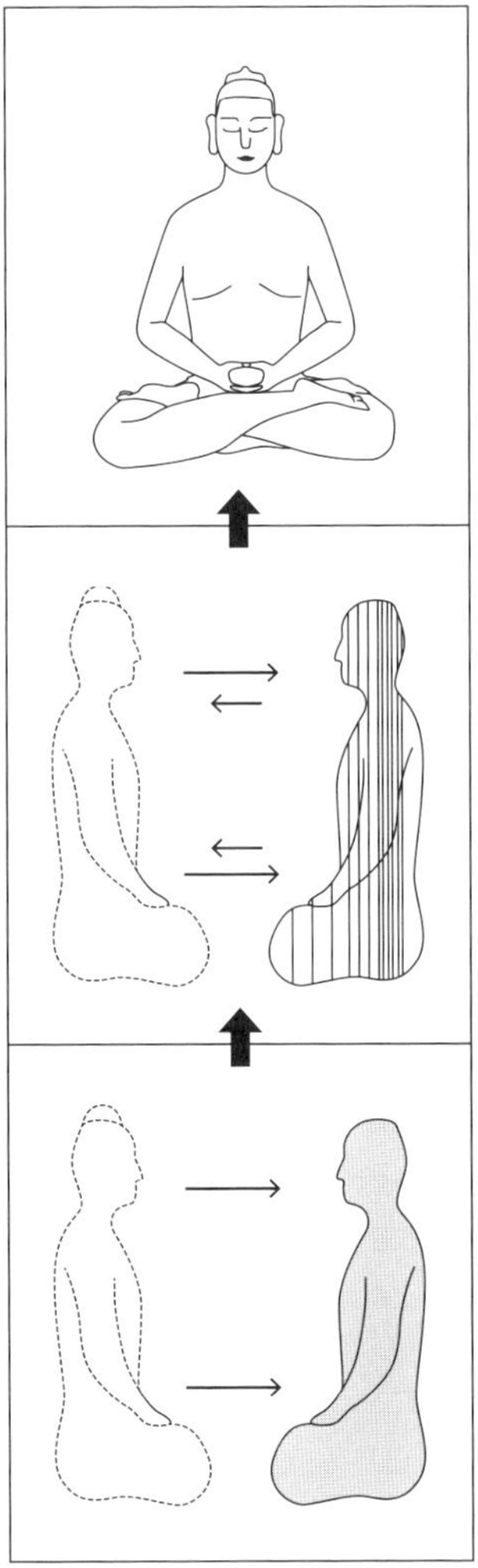

山崎泰廣『密教瞑想法』
（永田文昌堂）

このように仏の心身と一如になるための修行である密教の瑜伽行では、行法中に身体の各部分に意識を集中する観想法がある。これらの観想法は、「長部経典」の『大念処経』などに見られる四念処を随観する瞑想や、止観行を受け継いでいるものといえるだろう。

さて、中院流の次第における「入我我入観」と「正念誦」は次のとおりである。(58)

入我我入観　弥陀定印

観想せよ。我既に本尊と成って

功徳荘厳具足円満し、

眷属の聖衆周匝圍繞して曼荼羅に坐す。
已成の尊も是の如くして曼荼羅に坐して
我に相対し玉へり。
本尊我が身に入り加持護念して利益を施し
我れ本尊の身中に入って恭敬供養して
其の功徳を證得して本尊と一体無二也。

正念誦

我欲抜済無余界　一切有情諸苦難
本来具足薩般若　法界三昧早現前
オンバザラグキャ　ジャハサンマエイウン（旋転念誦）
本尊呪　百遍
修習念誦法　以此勝福田
法界諸有情　速成大日尊

〈第一章〉で「即身成仏観法」に入る時に、「本尊加持」の大日印言・灌頂の印言を結誦した場合は、この印言を省略して直に定印で観想に入ることを述べた。本尊加持は本尊の身密・語密・意密を印成するのであるが、入我我入観・正念誦・字輪観の実相について、中川前官は次のように説明されている。

本尊加持の前に、大日の印言・灌頂の印明を結誦する。(中略)三度に亙る本尊加持は次での如く、身・口・意の三密互相渉入の義である。即ち入我我入は行者の身中に本尊を召入する故に、身密の加持。正念誦は本尊の誦じたもう所の真言と、行者の誦ずるところの真言と、無礙渉入の義を観ずるが故に語密の加持。字輪観は心月輪を観ずるが故に意密の加持である。(59)

行法中においては、この「加持」についての認識が重要な意味をもつ。大師の『大日經開題』(大蔵経㉛)において、よく加持の大綱を理解することができるので、先に引用した文との重複を含めて再度紹介しておく。

加持とは、古くは仏所護念と云い、また加被という。然れども未だ委悉を得ず。加は往来渉入をもって名となし、持は摂して散ぜざるをもって義を立つ。即ち入我我入これなり。阿等の六字は法界の体性なり。四種法身と十界の依正とは皆なこれ所造の相なり。六字は則ち能造の体なり。能造の阿等、法界に遍じて相応し、所造の依正は帝網に比して無礙なり。此れも往かず彼も来たらずと雖も、然も猶法爾瑜伽の故に能所なくして能所たり。故に頌に曰く。

六大は無礙にして常に瑜伽なり　四種曼荼各離れず

三密加持速疾に顕わる　重重帝網を即身と名づく
法然に薩般若を具足し　心数心王刹塵に過ぎたり
各五智無際智を具し　圓鏡力の故に実覚智なり。（私訳）

仏の世界に到達する（悟り）ためには、仏からの加持力を受容する瑜伽行者の受け皿が必要である。

大師の加持の概念には、三種あると指摘する松長有慶師は、次の三つをあげる。

一、『大日経開題』でいう入我我入の意味。
二、自らを加持して金剛界曼荼羅を出生する自加持の意味。
三、『華厳経』、『大日経』あるいは『大日経疏』などに説かれる神変加持。

『秘蔵記』には、加持の義として、

加とは諸仏の護念なり。持とは我が自行なり。また加持とはたとえば父の精をもって母の隠に入るる時、母の胎蔵よく受持して種子を生長するがごとし。諸仏悲願力をもって光を放って衆生を加被したもう。これを諸仏護念という。衆生の内心と諸仏の加被と感応の因縁の故に、衆生発心し、修行す。これを自行という。(60)

とあり、ここでは加持の理解を深めるために、肉親に伝達する生命活動を引き、仏との深いつながりや恩恵を受ける加被感応を説明し、諸仏との因縁生において衆生の自行が重要であると説くのである。

◎真言念誦と瑜伽三昧

天台宗延暦寺第五世座主智証大師円珍が、入唐求法で請来した『両部大法相承師資付法記上下』(海雲著)では、金剛界、胎蔵界の両部が各祖師の伝法によって継承されていることが説かれている。その下巻には真言念誦で瑜伽三昧を得て速やかに仏の境地に入ることが示されるが、それに続けて四種の念誦法と四つの求願法が述べられる。(大蔵経㉜)

四種の念誦あり。一は聲念誦。二は語念誦(亦た金剛念誦と名く。舌端を微動させて唇歯を合すを謂う)。三は三摩地念誦(住定と観智と相應すを謂う)。四は勝義念誦(第一義諦、如久の理を思え)。四種の求願法あり(息災・増益・降伏・敬愛に攝召を併せて五種と成す)。又た瑜伽經中に四種の眼(経に説くが如し)と四種の座法(経に説くが如し)を明かす。(私訳)

真言密教を修習する目的は、不空三蔵訳の『金剛頂瑜伽金剛薩埵五秘密修行念誦儀軌』に詳細に記されている。(大蔵経㉝)

此の大金剛薩埵五秘密瑜伽の法門を、四時に於て行・住・座・臥の四威儀の中に、無間に作意し、修習すれば、見・聞・覚・知の境界に於て人法二空の執悉皆平等にして現生に初地を証得し、漸次に昇進す。五密を修するに由て涅槃生死に於て染せず、著せず、無辺の五趣生死に於て広く利楽を作し、身を百億に分ち諸趣の

中に遊んで有情を成就して、金剛薩埵の位を証せしむ。（私訳）

五秘密とは「金剛薩埵と欲触愛慢の四金剛との五尊を説いて、凡夫を象徴した四金剛の煩悩が、菩提心である金剛薩埵と直に同一となり、煩悩中に菩提の理が含まれる」（『密教辞典』）ことであるから、先の経文を著者なりに解りやすく述べれば、「大金剛薩埵の五秘密の瑜伽法を休みなく修行することによって、欲触愛慢の煩悩即菩提を獲得し、さらには日常における色受想行識の五種蘊苦からもたらされる、無明や生老病死等の四苦八苦にとらわれることなく、人生を有意義に生きることができ、さらにはまた人間業をも超えた仏の境地に住することができる」ということになる。

また『大毘盧遮那成仏神変加持経略示七支分念誦随行法』に

諸学処を順行すれば、悉地は力に随って成ず。我れ大日経に依て、略して瑜祇の行を示す。殊勝の福を修證して、普く諸の有情を潤すべし。（私訳）

とあり、これも著者流に訳せば「修行者は様々な仏の教えを学び、悟りの境涯を習得し、大日経に依って瑜伽行を実践することによって大いなる福徳をもたらし、そのうえで普く多くの衆生にこの実践を奨めるべきである」となる。

こうした境地を獲得するためにこそ、真言行者は三密行の四度加行道や灌頂儀式の実修を欠かすことができないのである。

◎学修灌頂と瑜伽行

高野山では伝統的な「学修灌頂」という奥義が今も連綿と続いている。著者は平成二十年（二〇〇八）十月にこの盛儀に入壇の法縁を得ることができた。学修灌頂は、密教僧としての経典・魚山（声明）を修習後に、四度加行・伝法灌頂・勧学会初年目・二年目・三年目の講讃、一流伝授などを受けた後に、機縁を得て入壇することができる。

学修灌頂の意義は大山公淳師の『高野山学修灌頂並びに勧学会記』にもあるように、「真言行者究竟の目的たる大阿闍梨の資格を成ずるものなるによって阿闍梨灌頂ともいい、庭儀灌頂ともいい」、諸法儀の規範を垂示する意味である。

真言密教の奥義を後世に伝える学修灌頂は、伝統法儀の伝承と大師末徒としての阿闍梨の資質を問い続ける、重要な人材育成の最秘儀でもあることはいうまでもない。(61)

その儀式としての大きな局面は「許可」、「大塔の大事」、「閼伽汲み」、「御影堂大事―以心灌頂」、「三昧耶戒」、「胎蔵法灌頂」、「金剛界灌頂」、「後朝」の八場面である。

それぞれについての詳しい内容は伝統的秘儀であり、越三昧耶に抵触するのでこの紙面では紹介できないが、瑜伽行に関わるエッセンスとして伝える。

その法儀の中で、瑜伽三昧の境地を味わえるのは「許可」、「御影堂大事」「三昧耶戒」、「胎蔵法灌頂」、「金剛界灌頂」、「後朝」の場面である。

「許可」は、これから灌頂を受けるための心構えをつくる導入の部分である。このとき灌頂壇に入る受者は、規定の真言を唱えて、心を灌頂大事に向けながら念誦する。やがて受者は長老順に堂内に入り、伝戒阿闍梨から灌頂引入の印信を拝領する。このとき別座において瞑目しながら真言を念誦する身口意の三密瑜伽こそが、法儀中における深い瞑想三昧状態に入る時であり、また大いなる如来の加持力を感じる場面でもある。

「御影堂大事」は「御影堂に参入し親しく祖師の尊影に触れ奉り、以心伝心、すべての事業作法を用いずして高祖より我一宗奥秘の大事を直授する作法」「諸師相伝の我大法は愈々、その法燈を闡場さるるように感ぜられ、限りなき尊さを覚えさせられる」。(前掲書)

これは「以心灌頂」ともいわれ、高野山ならではの、もっとも有り難い法儀である。

この儀式を受けた全員が深い感動に浴することは間違いない。まさに一二〇〇年の時空を越えて、祖師高祖大師に、直接にお会いできる瞬間である。多くの受者はこの時、法悦歓喜の涙を流し、灌頂秘儀に全身全霊をもって法遇するのである。

「三昧耶乞戒」は、「愈々大願成就して両部の曼荼羅界に入り入壇受法すべき日、その入壇に先立って三昧耶仏戒を受けなければならぬ」。(前掲書)

庭儀法楽から本堂にはいり、識衆の称える声明の音曲法悦に浸りながら、結界された道場の中で一人ひとりが、大阿闍梨から三昧耶仏戒を伝授される。このときも真言念誦の三密加持力によって、深遠な如来の加持力を感じ、本尊と大阿闍梨との三位一体の相応渉入の心境となる。

「胎蔵法灌頂」「金剛界灌頂」は学修灌頂の奥義そのものである。これは「最極深密の秘法、両部の大法を写瓶授受すること」であり、こののち「後朝」儀の大山師の感想として「時に秋天朗らかにして紫雲靉靆、八葉峰上に棚引き、瑞気堂塔伽藍を廻らし、諸天善神の感応空しからず、随喜華鬘の雨を降らしたるが如く、いと尊く有り難く崇厳の極であった」（前掲書）とあるように、まさに真言秘密の最高の法儀である両部の灌頂成満した瞬間にこそ、真言末徒の法悦の極みがあるのである。

この体験を静かに振り返ってみると、一人ひとりが灌頂壇に入壇するまでの時間、あるいはお授けが終わって、自席の半畳に座している時空がそのまま、密教瞑想・瑜伽三昧の醍醐味であり、護法受者の至福のときであった。そしてこのときの心的内性の高まりによって、密教が単なる観念論や文献学の域に留まるものではなく、実体験としての法界体性智を、自身の内証に覚知する法であることが納得できたのである。

学修灌頂は高野山の伝法システムとして、傳燈大阿闍梨になるための法儀であることは疑いのないところであるが、唯にそれだけでなく、実は阿闍梨の資質としてもっとも大切な「菩提心を因となし、大師の請願を内心に憶念し、信念をもって法灯を伝持して自他を利する決意」をあらたにする法儀なのである。

大師は『秘蔵宝鑰』において、瑜伽三昧において密教者が到達すべき境地を説き示す。

この三摩地とは、よく諸仏の自性に達し、諸仏の法身を悟り、法界体性智を証して大毘盧遮那仏の自性身、受用身、変化身、等流身を成ず。すべからく行人、未だ証せざるが故に、理、よろしくこれを修すべし。（中略）

もし心決定して教への如く修行すれば、座を起たずして三摩地現前し、ここに本尊の身を成就すべし。(62)

自性身等の「四種仏身」を説明すればこうなる。

自性身：本来自然法爾の体性で理知を具し、自眷属と共に三密説法をする仏。

受用身：自受用心の智法身と他受用身（十地の菩薩のために説法する）に分かれる。

変化身：地前の菩薩・二乗・凡夫のために変化応現して教化する姿。

等流身：六道・九界等のために等同流類の身となって救済する形をいう。（『密教大辞典』）

密教行者は、五相成身観などの行法を実践することによって、三昧現前によって、万法一実の理を証し、神羅万象は本来不生不滅にして、能所の二生を離れ、阿字本不生の理を証す「一切法平等無畏心」であることを悟る境地に到達すべきなのである。

◎五相成身観と瑜伽行

大師が、弟子たちに法灯の継承をするための思いを具体的に語る文章に『高雄山寺に三綱を択び任ずるの書』（『続遍照発揮性霊集巻第九』）がある。弟子の杲隣、実慧、智泉を上座と寺主と都維那にそれぞれ任じ、他の仏弟子にも、僧侶としての教誡を述べている。

よろしく汝等二三子等（弟子たち）、つらつら出家の本意を顧みて、入道の源由を尋ねよ。長兄は寛仁をもって衆を調え、幼弟は恭順をもって道を問え、賤貴をいうことを得ざれ。一鉢単衣にして煩擾を除き、三時に上堂して本尊の三昧を観じ、五相入観して、早く大悉地を証すべし。五濁の澆風《ぎょうふう》（劫濁・見濁・煩悩濁・衆生濁・命濁のけがれ）を変じて、三覚の雅訓（自覚・覚他・覚行窮満の教え）を勧め、四恩の広徳に酬いて三宝の妙道を興せよ。(63)

ここで大師は、密教を学ぶ修行者の目的として「本尊との入我我入観を修したのち、五相成身観を修して悟りを証明すること」を本懐として示されたのである。

この「五相成身観」こそは、密教の即身成仏を目指す最も重要な観法の一つである。『金剛頂一切如來眞實攝大乘現證大教王經』の『金剛界大曼荼羅広大儀軌品』之一（大蔵経㉞）には、菩薩が「五相成身観」を成就する過程を詳しく述べている。

長い引用となるが、『続国訳秘密儀軌』の助けを借りて紹介しよう。

是の如く説き已り、一切如来は異口同音に彼の菩薩に告げて言わく。善男子、当に自心を観察して三摩地に住し、自性成就真言を以て自ら恣に誦ずべし。

オンシッタバラチベイトウキャロミ

時に菩薩は一切如来に白して言さく。世尊如来よ、我れ遍く知り已んぬ、我れ自心を見るにその形は月輪の如しと。一切如来は咸く告げて言わく。善男子よ、心は自性光明にして、猶し遍く功用を修して作すに随って獲るが如し。亦た素衣の色を染むるに、染むるに随って成ずるが如し。時に一切如来、自性光明の心智を

豊盛ならしめんが為の故に、復た彼の菩薩に勅して言わく、

オンボウジシッタボダハダヤミ

此の自性成就の真言を以て菩提心を発さしむ。時に彼の菩薩、復た一切如来より
の旨を承け、菩提心を発し已って是の言を作す。彼の月輪形の如く我れも亦た月
輪の如き形を見る。一切如来は告げて言わく、汝、已に一切如来の普賢心を発し
て金剛堅固に斉しきを獲得せり。善く此の一切如来の普賢発心に住して自心の月
輪に於て金剛の形を思惟するに、此の真言を以てせよ。

オンチシュタ　バザラ

菩薩の白して言わく。世尊如来、我れ月輪中に金剛を見たり。一切如来、咸く告
げて言わく。一切如来普賢心の金剛を堅固ならしむるに、この真言を以てせよ。

オンバザラタマクカン

所有る一切虚空界に遍満せる一切如来の身口心なる金剛界は、一切如来の加持を以
て悉く薩埵金剛に入りたもう。則ち一切如来は、一切義成就菩薩摩訶薩の金剛名
を以て金剛界と号し、金剛界を灌頂せり。時に金剛菩薩摩訶薩は彼の一切如来に
白して言さく。世尊如来よ、我れは一切如来の自身と為るを見たり。一切如来は
復た告げて言わく、是の故に摩訶薩よ、一切の薩埵金剛は一切形を具することを
成就し、自身の仏形を観じ、此の自性成就の真言を以て随意に誦ずべし。

オンヤタ　サラバタタギャタ　サタタカン

是の言を作し已って金剛界の菩薩摩訶薩は、自身に如来を現證して尽く一切如来を礼し已って白して言さく。唯だ願わくは世尊諸如来よ、我れを加持して此の現證菩提を堅固ならしめたまえ。是の語を作し已るや一切如来は、金剛界如来の彼の薩埵金剛の中に入りたもう。

時に世尊金剛界如来は、彼の刹那の頃に当り、等覚一切如来の平等智を現證し、一切如来の平等智三昧耶に入って、一切如来法の平等智自性清浄なることを證して、則ち一切如来の平等自性光明智蔵、如来応供正遍智を成就せり。（私訳）

まさに「初会の金剛頂経」とされる『真実摂経』の重要な部分である。

これを要約すると、アースパーナカ三摩地（āsphānakasamādhi）に入り已った一切義成就菩薩が修行の仕方について一切如来の助言を承け、新たな修行に没入することで、遂に自身に一切如来の平等自性光明智蔵を得て、五相成身としての如来応供正編智を成就する場面が示されているのである。

その修行とは、自心に清浄な光り輝く菩提心を自覚し、さらにその菩提心を月輪と観じ、五鈷金剛杵を自心の月輪に描くことから始まり、さらには自心を金剛杵と一体と観じて灌頂に浴し、究極には自心の月輪と金剛杵が共に一切如来と融合し了ることによって、悟って仏身円満（如来・応供・正遍知）を成就する瑜伽行である。

『真実摂経』は瑜伽タントラであり、その瑜伽行の中心が「五相成身観」であると論述する乾仁志師は、本経の梵漢対訳を基に、五相成身観による修行の内実を次のように詳しく述べている。

引用の(a)(b)(c)の記号は、(a)一切如来による教誡 (b)一切如来の授けた本性成就の真言の内容 (c)一切義成就菩薩による修習の結果をそれぞれ表す。

①五相の第一（通達菩提心）

(a)教誡：自心を妙観察する三摩地に入りなさい。

(b)真言：オーム、私は心に通達します（oṃ cittaprativedhaṃ karomi）

(c)結果：菩薩は自らの心に月輪の相を見る。

②五相の第二（修菩提心）

(a)教誡：心は本性光明である。その本性光明心智を増大するために菩提心を起しなさい。

(b)真言：オーム、私は菩提心を起します（oṃ bodhicittam utpādayāmi）

(c)結果：菩薩は月輪の相として現れたものが月輪そのものであるのを見る。

③五相の第三（成金剛心）

(a)教誡：一切如来の心である汝の普賢なる発心は完全なものとなった。その一切如来の普賢発心を堅固にするために、その月輪の中に金剛杵の影像を思念しなさい。

(b)真言：オーム、起て、金剛よ（oṃ tiṣṭha vajra）

(c)結果：菩薩は月輪の中に金剛杵を見る。

④五相の第四（証金剛身）
ⓐ教誡：その一切如来の普賢心金剛を堅固にしなさい。
ⓑ真言：オーム、私は金剛を本質とする者である。（oṃ vajrātmakoham）
ⓒ結果：一切如来の加持によって、一切虚空界に遍満する一切如来の身口意金剛界のすべてが、菩薩の心の金剛薩埵（月輪の中に金剛杵）に降入し、菩薩は一切如来から金剛名の灌頂を受けて金剛界大菩薩となり、自らが一切如来の身であるのを見る。
⑤五相の第五（仏身円満）
ⓐ教誡：その一切如来の身口意金剛界から成る薩埵金剛こそ、一切の最勝相を備えた仏の影像であり汝自身であると修習しなさい。
ⓑ真言：オーム、一切如来たちがある如く、その如く私はある。
（oṃ yathā sarvatathāgatās tathāhaṃ）
ⓒ結果：菩薩は自らを如来であると現等覚する。そして、さらにこの悟りを堅固にすべく、一切如来に加持を乞い願ったところ、一切如来たちがその薩埵金剛に降入し、金剛界如来は一切如来の平等性智を現等智して如来・応供・正遍知となった。(64)

乾師は、「五相成身観そのものを成立せしめている瑜伽行の基礎にあるのは、菩薩の入った自心を妙観察する三摩地である」として、そのことが「『大日経』の如実知自心の三摩地に対応する」としている。

五相成身観の中核にあるのは菩提心であり、それは原始仏教・部派仏教・そして大乗仏教

＊山崎泰廣『密教瞑想法』所載の覚鑁『五輪九字明秘密釈』にある五輪図を借用して著者作成

へと継承された「自性清浄心」である。特に密教の瞑想は、「月輪・日輪」を自性清浄心を映し出す具体的なツールとし、心身不二の浄化としてわかりやすい瞑想法を開示してきたのである。

大師は、人間の身体（肉体）と宇宙的な構成要素である六大（地・水・火・風・空・識）が、別々の存在機能ではなく、実は互いに交じり合っていることを強調する。これが入我我入観と相関するのである。『即身成仏義』には、

如是六大法界体性所成の身は、無障無礙にして、互相に渉入相応し、常住不変にして同じく実際に住せり。故に頌に曰く、「六大無礙にして常に瑜伽なり」と。無礙とは渉入自在の義なり。常とは不動、不壊等の義なり。瑜伽とは翻じて相応

という。相応渉入は即ち是れ即の義なり。(65)

とあるが、このことは大宇宙を構成する六大は自己と同等であり、互いに融け入って相応一致し、永遠不変であり、そのまま真実にして究極的なあり方で存在し続けるということを意味している。すなわち大師の説く「秘密荘厳心」は無我状態でありながら、永遠に覚醒した宇宙との融合意識と同等になるのである。

『金剛頂經瑜伽十八會指歸』(大蔵経㉟)には五相と五智の境地が説かれている。

一切義成就(と名く)四智印を表す。初品中において、六曼荼羅有り。所謂金剛界大曼荼羅なり。并びに毘盧遮那佛受用身を説く。五相を以て現に等正覺を成ず。(五相は所謂通達本心、修菩提心、成金剛心、證金剛身、佛身圓滿にして、此れ則ち五智通達なり)。成佛の後、金剛三摩地を以て現に三十七智を發生し、廣く曼荼羅の儀則を説く。(私訳)

「通達本心・修菩提心・成金剛心・証金剛身・仏身円満」の五相は五智と成るが、これは如来蔵思想から継承された転識得智の結果である。すなわち仏身円満とは法界体性智であり、即身成仏の境地なのである。

『秘密曼荼羅十住心論』に、

かくのごとくの心身の究竟を知るは、すなわちこれ秘密荘厳の住処を証するなり。(中略)もし大覚世尊大智灌頂地に入りぬれば、自ら現に三三昧耶の句に住す。(66)

とあって、高祖大師の即身成仏に対する究極の教誡がここにあるといえよう。三三昧耶とは仏と行者の三密が平等であり、また仏蓮金の三平等を意味する。まさに曼荼羅浄土に住する心境である。瑜伽行としての即身成仏の境地は、〈第一章〉の次第のごとく仏の世界である「秘密荘厳心に住すること」なのである。

毎日、真言系寺院で読誦される『般若理趣経』は、いうまでもなく「悟りの真実の智慧に到達する道筋を説いたお経」といわれる。まさに本書〈第一章〉の「本観法の基本理念」でふれた「悟るための教え」の集大成がここにある。その本旨となるものは、人間の欲望をあえて否定せず、むしろそこに見られる生命の営みとしての原初的エネルギーに光を当て、般若理趣の空観によって、そのエネルギーを仏の境地にまで昇華することの意義を十七段にわたって展開することにある。それによって最終的に、宇宙意識と同格である大日如来の究極の悟りのプロセスを説き尽くすのである。

『理趣経』の第十七段は、その神秘の教えの最終的な境地を示し、最後に「百字の偈」でその境地が総括されるのである。

『大樂金剛不空眞實三摩耶經』(大蔵経㊱)を、宮坂宥勝師は次のように釈している。

永遠の求道者にして、すぐれた知恵ある者は、迷いの世界がなくならない限りそこにあって、絶えず人びとのためにはたらいて、しかも静まれる覚りの世界におもむくことがない。覚りの真実の智慧〔般若〕にもとづく人びとの救済の手だて〔方便〕と、悟りの智慧の完成〔智度〕とをもって残らず不可思議な力を加えて、あらゆる存在するところのもの、およびもろもろの生きとし生けるものの現実生存を、すべて皆清らかならしめる。

欲望などをもって世の人々を整え制御すれば、（あらゆる罪過を）浄め取り除くことができるのであるから、生存界の領域の最上部〔有頂天〕から悪業の報いとして受ける生存の状態〔悪趣〕に至るまで、生きとし生けるものの現実生存をすべて整え制御する。

あたかも色あでやかな赤い蓮華が本来の色彩のままであって、他の色のけがれに汚されないように、人間のもろもろの欲望の本性もまたそのとおりである。（すなわち）世間の人びとの利益のためにはたらく者は、その住んでいるところの環境のけがれによって決して汚されることはない。

量り知れないほど大いなる欲望の清らかなもの、大いなる安楽のもの、大財のあるもの、このあらゆる世界〔欲望の世界＝欲界、物質の世界＝色界、精神の世界＝無色界〕を思いのままにすることを得たものは、（生きとし生けるものの）利益をきわめて確実なものにする。

金剛杵を手にする者よ、もしも誰であれこの根本にして始源の（教えである）覚りの智慧のおもむきを聞いて、毎日早朝に、あるいは読みあげ、あるいは聞くならば、その人は（大いなる欲望によって世間のすべての罪過を清らかに取り除くことができるから）

すべての安楽と、喜びの心と、大安楽にして金剛のように堅固不壊であって空しからざるものとの誓いの（金剛薩埵の）不可思議な効験を得て、この世においてすべての存在するところのもろもろの自由自在なる喜びと楽しみを得て、（金剛薩埵から金剛拳菩薩に至るまでの）十六大菩薩の生涯（であるすべての功徳）を自身が具えて、具体的なすがたかたちをとった毘盧遮那如来と智慧を身体とする（智身の）金剛杵を持つ者の位を得ることができるであろう。吽。(67)

「理趣経」には瑜伽三昧を表す「三摩耶」という語が十四箇所に登場する。また『大正新脩大蔵経』には「三昧耶」が四一六巻、「三摩耶」は六〇一巻もの経典に頻出する。これを以てしても「瑜伽三昧」即ち「瞑想」の修行は、即身成仏を得るための必須の条件であり、仏道修行の根幹であると言わねばならないだろう。

まさに「瞑想」とは、「即身成仏観法」の理趣（道しるべ）そのものなのである。

【第四章】

瞑想瑜伽の生化学・心身医学的知見

◎瞑想の生化学的反応

そもそも瞑想（瑜伽）とは心身一如の成せる業《わざ》であり、心と身とを安易に分離させることはできない。しかしながら心身統合の観点から瞑想（瑜伽）への理解を深めるために、瞑想における身体的機能と精神的機能の働きを具《つぶ》さに解明することには、現代的な意義があると考えられる。

瞑想は、伝統宗教においては修行をその本質となすが、近年では、健康医療の視点から心理学や医科学をはじめ、システム工学、社会学などさまざまな分野での研究が行われている。国際論文検索では「瞑想：Meditation」に関する八四万八千六百七十三本もの科学論文がヒットする。（1）巻末257頁【第四章】注記1参照

瞑想によって人間の心身がどのように変化するかという研究は、実は西欧では早くから行われてきており、加えて脳科学の研究が進んだ近年では、超音波脳診断によって瞑想時の脳波や脳の働きが客観的に判定され、その詳細が解明されている。

著者が、瞑想の医科学的研究に着目したのは、実際の医療現場においてスピリチュアルケアを実施している際、患者の希望に応じてベッドサイドで瞑想を行ったことによる。その後、二十年間の臨床現場で多くの患者に活用し、その適応性を確認した。

その結果、患者自身の心身の機能に、大きな正の反応が見られたことによって、伝統的瞑想を何とか臨床に活用できないものかと考えるようになった。その後、「京都大学こころの未来研究センター」の研修員として二年間（二〇〇八～一〇）の瞑想研究の機会を得たので、

地道な文献的研究を重ねたうえで実証的研究を進めることに努め、その成果として数篇の医科学論文（共同研究）を発表することができた。(2)

また、和歌山県立医科大学廣西昌也教授を中心とする「認知機能低下高齢者に対する瞑想療法を用いた医学研究」が、二〇二一年の日本学術振興会科学研究費対象研究（NO：21K07344）として採択され、著者の研究が生かされることになった。

瞑想の先行研究では、一九三九年、フランス人の心臓学者が、インドでヨーガ行者の生理機能を測定し、瞑想によって呼吸数の減少や皮膚電気抵抗の増加が認められたことを報告している。

日本では精神科医の平井富雄が、曹洞禅と臨済禅の僧堂に足を運び、坐禅中の脳波変化と脳機能についての実証研究をしている。それによれば両者の差異は少ないものの、「只管打坐、脱落心身」を謳う曹洞禅では「緊張状態であるにもかかわらずアルファ波という安静の方向に向かう波形がある」と報告し、一方「不立文字、公安坐禅」に代表される臨済禅では、同じく「アルファ波やシータ波が坐禅中に出現し、意識の変容が認められる」としている。さらに「禅定、三昧の境地に入ったときに、脳波が前頭葉から頭頂葉にα型、θ型として出現し、恒常化、安静化する」とも報告している。(3)

一九七二年にはアメリカにおいてワレス（Wallace）らによって、瞑想の生理的効果を測定する研究が発表されて注目された。そのときの研究成果では瞑想がもたらす効果として、次のような事柄の報告がある。

①酸素消費量と二酸化炭素排出量の大幅な減少による深い休息が生じる。
②呼吸数、分時換気量、心拍数が大幅に低下する。
③皮膚電気抵抗値が急激に増大するが、これは深いくつろぎ状態を意味する。
④動脈血の酸素分圧と二酸化炭素分圧、酸塩基平衡、血圧などの安定性が示すように、重要な生理機能は維持されている（ただし血圧は測定中常に低い値をとった）。
⑤動脈血中の乳酸濃度が減少する。
⑥脳波の変化は前頭部と頭頂部でアルファ波とシータ波が増大しており、これは深い休息にありながら目覚めた機敏さを示唆する。（4）

一般に脳波は五種類に分けられる。頭皮上の2点の電位差を記録して測定するが、振幅数によって、δ（デルタ）波、θ（シータ）波、α（アルファ）波、β（ベータ）波、γ（ガンマ）波となる。周波数（ヘルツ）は小さい順にデルタ波（〇・五～四）、シータ波（五～七）、アルファ波（八～十二）、ベータ波（十三～三十）、ガンマ波（三十一以上）である。（5）

瞑想中の五種類の脳波を測定することによって、「なんらかの体験」「不随意運動」「視覚的イメージ」「深い瞑想状態」「超越状態（純粋意識の状態）」を経験したときの脳波は、前頭部と後頭部とに影響していると報告されている。

瞑想を始めると前頭部にアルファ波が出現して振幅を増して、初期には一ヘルツから二ヘルツほど低くなることもある。瞑想を深めるとアルファ波は徐々に増加する。また別の反応としては、シータ波が優勢するパターンがあり、更に二〇～四〇ヘルツの早いベータ波とア

ルファ波、シータ波がそれに相互に混入するという三体があったとの報告がある。(6)

また瞑想中の脳の活動のｆＭＲＩ(functional magnetic resonance imaging：機能的磁気共鳴画像法)測定により、偏桃体の活動による感情調整の変化や、洞察瞑想による内省が関わる内側前頭前野の活動などで、瞑想初心者と熟練者とでは差異があることも報告されている。

それらの神経科学研究では「洞察瞑想を継続的に実践することで、反応したり判断したりすることを、あるがままに受け入れる心の状態である平静さが育まれる」との報告もある。(7)また瞑想による体外離脱的意識を能波測定した研究では、シータ波が大きく出現したという報告もある。(8)

近年では、Zeidanらが、瞑想の鎮痛作用をＶＡＳ(Visual Analogue Scale)により評価するとともに、ＭＲＩ(Magnetic Resonance Imaging)によって、脳の感覚処理領域(第一次体性感覚野・島皮質)の活性化がその作用に関与することを明らかにしている。(9)

これは瞑想によって普段とは異なる脳の部位の賦活がみられるということであり、まさに瞑想脳になることを意味している。また瞑想が進むと、右の島皮質後部が肥厚しているとの報告もある。(10)

著者自身の瞑想研究としては、二〇一一年に北斗病院の脳診断スタッフの協力によって、ｆＭＲＩを使用して、自身の瞑想脳を測定してもらった。そのときの二種類の瞑想脳の解析結果を次頁に示しておく。

二種類の瞑想は「緩和・集中〈ゆるめる〉瞑想」と「増益・敬愛〈たかめる〉瞑想」である。

このデータ解析によって、二種類の瞑想では、あきらかにその賦活する部位に違いがあることが判明した。「増益・敬愛瞑想」では、特に左前頭葉と右側頭葉に賦活性大が見受けられたのである。この実験による知見として、瞑想の種類によって脳波や自律神経の働きに差異が生じることが確認された。

◎著者の瞑想時の脳解析結果

協力：北斗病院脳診断スタッフ／（fMRI 使用）2011

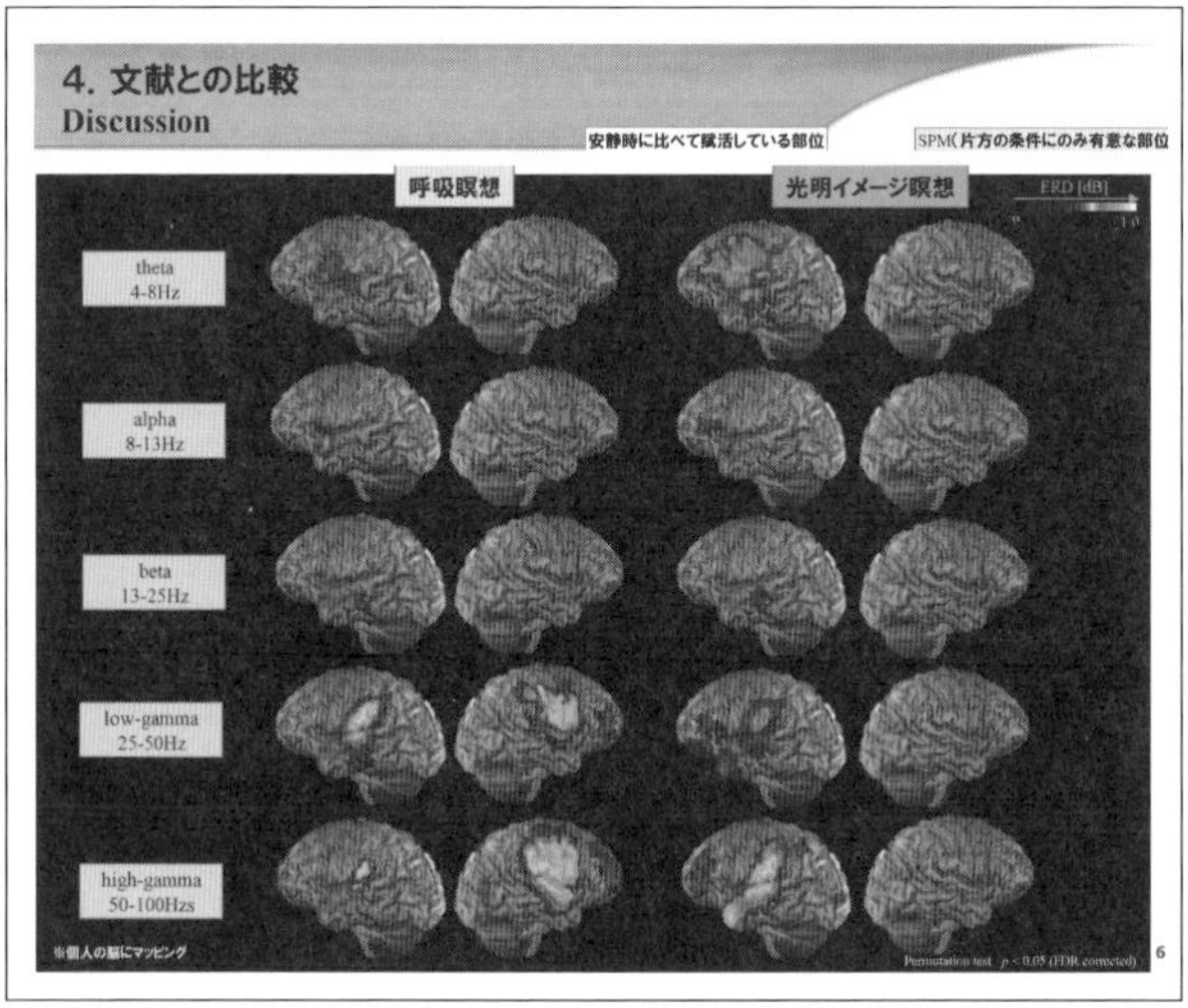

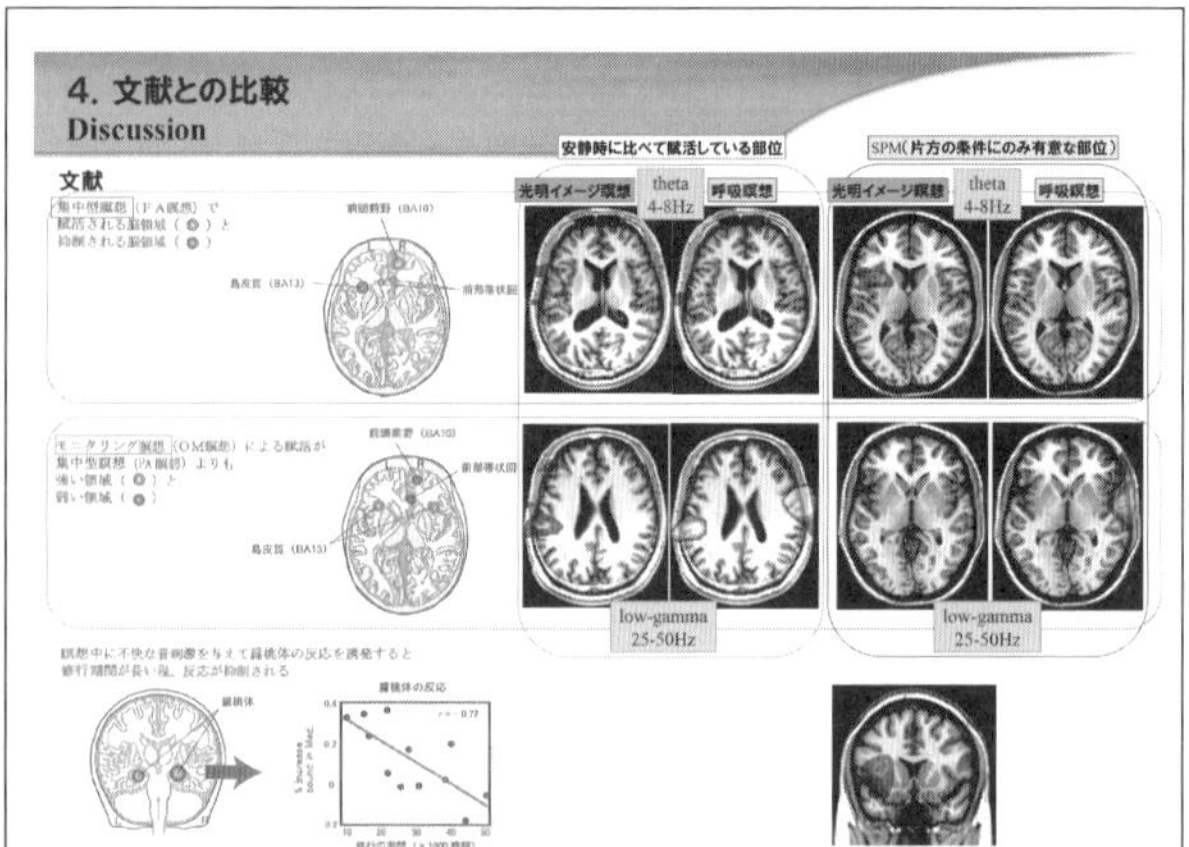

異なった種類の瞑想による脳波は「瞑想者の感覚誘発電位（Evoked Potentials）の振幅の減少および潜伏を示す変化を起こすことがあり、変性振幅を作り出し、習慣性作用の減少を引き起こす注意集中（mindfulness）を伴う」と想定できる。(11)

瞑想による心身反応としては、エネルギーレベルや免疫システムが上がり、それによって病気と闘い、病気になるのを防ぐ効果があると考えられる。具体的には「①心拍・血圧の降下 ②脳や心臓への血流の増加 ③脳波・筋電信号・皮膚抵抗の正の変化 ④睡眠や消化の良好化 ⑤イライラ感・不安・抑うつ感の減少 ⑥病気の頻度・期間の減少 ⑦仕事中の事故やロスの減少 ⑧人間関係の改善 ⑨自己実現・感情・スピリチュアル指数の向上」などに有効であることが証明された。

さらに瞑想から得られる疾患的治療効果には「アレルギー性疾患・ぜんそく・不安・酸性消化性疾患・がん・心臓疾患・うつ（神経症）・糖尿病・高血圧・過敏性腸症候群・偏頭痛・薬物依存（喫煙・アルコールを含む）・緊張性頭痛・その他のあらゆる病気の治癒および改善」が報告されている。ただし一方では、瞑想が禁忌（適用できない状態）とされる症状として、「精神病・重症のうつ・急性錯乱状態・極度の不安・重度の認知症」などが含まれるとの報告もある。(12)

これらの研究から、瑜伽行においては、鎮静的瑜伽行と、護摩や如来観想等の瑜伽行とでは、生化学的な違いがあることが判明した。つまり、意識の場の変位が生化学の領域からも測定可能となり、そうした方面からの瑜伽行の方向性にも大いに示唆を与えることになったのである。

◎瞑想の心理・精神療法との関連

「即身成仏」を心理学的に理解するならば、トランスパーソナル心理学が該当する。近代の最先端の研究者の筆頭にケン・ウイルバーがいるが、彼の『無境界—自己成長のセラピー論』（一九八六）は、即身成仏の心理学的考察の領域を示唆する著作だといえる。トランスパーソナルについては後であらためて検討したい。

まずは、瞑想瑜伽の心理学的・精神医学的な方面からの考察を試みる。

『心理療法事典』に、瞑想（meditation）とは「変成意識状態の枠内で生み出された、内的な静けさへの自己意識状態の誘導」とあり、その目的とするところは「弛緩の促進・ストレス緩和の援助・自尊心を高めること・集中力の促進・現在中心の意識の発達・洞察の促進」であるとされている。(13)

近年の脳波測定を用いた積極的な瞑想研究では「障害の異なる種類、特に不安障害の治療に役立つ可能性が示唆される」との研究もある。(14)

瞑想の医科学的研究は、今や心理学の領域だけでなく、統合医療や緩和医療、老年・長寿・健康に関する保健医療などに及んでいる。瞑想はホリスティック（全人的）な視点で捉えられるようになっており、より積極的にセラピー（療法）・ストレス緩和・病いへの気づき・心身の健康回復・ストレスコーピングなどの医学および教育的方面への活用の傾向がみられる。(15)

瞑想を行うことによって、神経伝達物質のオキシトシン（oxytocin）が分泌されることはよく知られているが、東邦大学の有田秀穂教授によれば、オキシトシンの分泌によってセロトニン（serotonin）が活性化されて脳の状態が安定し、その結果として心の平安状態がつくり出され、さらには自律神経への作用として痛みを和らげる効果があるとされる。

具体的には、深い呼吸法や瞑想の繰り返しによって、「①人への親近感や信頼感が増す ②ストレスが消えて幸福感が得られる ③血圧の上昇を抑える ④心臓の機能をよくする ⑤長寿になる」という報告がある。(16)

これらを要約すると、慈悲の心や他者への愛の祈りによってオキシトシンが発生し、自身も安らいだ気持ちになれるということであり、したがって特に「ＬＭＫ（Loving kindness meditation）＝慈愛の瞑想」による心身への効果が期待されるのである。また「疼痛緩和・心理的苦痛・怒りの感情の緩和」等に有意的な効果があり、能動的に他人を思いやることへの有用性がみられる。

こうしたオキシトシンの分泌によるストレス抑制効果だけでなく、臨床的には「誕生と授乳・自閉症・統合失調症・ＰＴＳＤ（外傷性ストレス症候群）・鬱・線維筋痛症・傷の治療・心臓血管機能の改善」などに有効性があることも報告されている。(17)

著名な心理学者ユングは、人間の深層に低在する〈集合的意識〉の研究を行い、「深い無意識の領域では、純粋な個人的無意識とは違った共同的な象徴イメージが内蔵されており、そのイメージはその形式と内容からみて、神話の基礎にある原初的観念と一致している」

として、人間の固有意識とは別に、生命の原初と繋がった基層的で集合的な意識を具体的に明示している。(18)

そして意識の発展過程における仏やマンダラなどとの統合的な意識を、瞑想によってイメージする手段として「能動的想像(active Imagination)」の方法論を展開する。能動的想像とは、「心中に起こってくる夢や観念などのイメージを抑圧することなく、自然に自由にはたらかせながら具体化していく方法」のことで、それはやがて箱庭療法、描画、フィンガーペインティング等に応用された。能動的想像は日本仏教においては、第三章で紹介した密教瞑想等におけるイメージの活性化に関する修行法との親和性がある。

人と宇宙をつなぐ意識の変容をイメージする能動的創造は、その後のユングの深層意識の探索に大きな力を与え、ユングの影響を受けたドラ・カルフ(Kalff.D)は、それを箱庭療法や夢判断などに発展させる功績を残した。(19)

このようにユング心理学においては、心理療法的な瞑想状態を通じて、意識と無意識が協力して超越機能的な働きをすることを明らかにし、それらのイメージや想像、象徴への判断が神経症の治療に有効であるという可能性を示した。しかし一方では、心理療法は心的水準の低下という危険性を持ち合わせていることも指摘されている。その理由としては、

①患者が個人的なコンプレックスの勢力圏に捕えられていると、このプロセスは不毛になる可能性がある。

②患者がファンタジーの外見に魅せられるあまり、ファンタジーと対決しなければなら

ないことを忘れてしまう。
③無意識内容のエネルギー状態はとても高いレベルに達するので、隙を見せると人格を占領されてしまう。(20)

等々が挙げられるが、瞑想と心理療法とは両立可能であるという見解は、多くの研究者によって提唱されている。精神科医の安藤治は「瞑想による内省が、治療セッションのなかだけでなく、自宅など治療室を離れたところでも行なえ、心理療法だけでは十分になされないような、より深く自己を探る過程が増やされ、治療の質が高められる」と述べている。

その目標は「自己覚知を深めることを目指して行なわれるもの」であり、自分の内面を見つめること、そしてその自分を深めることが、心理療法の特徴でもあるとしている。瞑想を活用した終末期ケアに関するアメリカの研究では、末期患者が瞑想によって自己の人生を振り返り、「過去の心との古い同一化の執着が消え、プロセスへの深い洞察が促され、気づきそのものが直接体験されるようになる」との指摘がある。(21)

◎成長モデルとしての瞑想瑜伽行

次に瞑想・瑜伽が、人間の人格やスピリチュアリティにどのような影響を与えているかを考察する。

まず、心理療法としての仏教瞑想が、こころの開示や明確化や成長を助長し、治療的にも役立つことが多くの研究者の報告で明らかになってきている。

安藤は、仏教の教訓である「戒律・儀礼・静寂・瞑想・祈り」が心理療法としても有用であるとして、特に「瞑想」と「祈り」について詳しく論究しているが、その中で「心理療法を求める人々の心には、苦悩や不安の種が渦巻いており、その解決法として静寂なる心境を醸す瞑想が有用である」とし、特に仏教瞑想は八正道に組込まれて、「精神訓練の実践」が有用であると述べている。(22)

近年、この仏教瞑想を心理療法に活用している心理学者石川勇一は、「ダンマセラピー」として四諦八正道を取り入れている。また石川は、自心を一歩引き挙げて高次元から省察する「スピリット・センタード・セラピー（スピリット中心療法）」を開発し、このセラピーは、「そのとき到達できる自己のもっとも高い意識の場（スピリット）から、自己の心身の問題に光を当てて、自からを深く癒す自己治癒法、自己成長法、心理療法、対人援助法である」と力説している。

これは、石川自身がアマゾンでの原始宗教体験や修験道・密教修行などの経験を踏まえ、「日常的な自我意識ではなく、離れた精妙な意識から自心を眺めることで、癒す力が大きく高まる」という、臨床経験から導きだされた英知である。

このセラピーは高次の意識状態の場から「心身を精妙なレベルから癒し、浄化するだけでなく、問題をひとつの契機として、意識を拡大し、霊性を体現した新しい生き方ができるように自分や他人を導く、心理療法などのヒューマンサポートの根本原理」として、心理療法家の注目が集まっている。(23)

ところで、近代における精神療法（Psychotherapy）の扉が開かれたのは、一八八七年にアムステルダムの診療所の看板に「精神療法（psycho-therapeutic）」という用語が登場して以来であるとされている。その後の近代精神療法は、初期の催眠療法や暗示療法から徐々に発展し、一九〇〇年代のアメリカにおける説得（心的再教育）療法やフロイト流の精神分析による精神療法として社会的に定着したといえる。(24)

精神療法の定義について、ウォルバーグ（Wollberg,L,R）は、「精神療法とは心理的手段による情緒的性質をもつ問題の治療であって、訓練を受けた人物が患者との間に意図的に専門的関係をもって行なうもので、その目標は、

①症状を除去したり、軽減したり、遅滞させたりする。

②混乱した行動パターンを調整する。

③肯定的なパーソナリティの成長と発達を促進することにある。それは再教育やガイダンスではなく、身体治療でもない」としている。(25)

精神療法は主に医師を中心とする医療機関で行なわれる療法と、非医師つまり臨床心理士やカウンセラー、スピリチュアルケアワーカーなどによって行なわれるケースがある。前者を「医学モデル」とするならば、後者は「成長モデル」として認識される。医学モデルは「欠損や障害の修復であり、救命、苦痛の軽減、機能障害の改善などの現実適応の改善が目的」であるのに対して、成長モデルは「人格の成長や成熟、自己実現を目指す」ものである。(26)

馬場謙一は、さらに精神療法について四つの役割を示している。それは、
①分裂病の重要かつ必須の原因的要素である基本的葛藤を除去し
②精神的病理的パターンを修正し
③病者の自己像を変化させることで病者の傷つきやすさを軽減し
④生体の心理的再生力が失地を回復するようにその働きをたすけるもの
としている。(27)

一般に精神科治療は、主に薬物を使用するか、あるいは薬物以外のカウンセリングや認知療法などの精神療法を活用するかの判断が必要とされる。現代の精神医療は、薬物療法に関する適用と効果判定についての予備的研究がすすみ、その適用範囲が広がってきているにもかかわらず、精神療法については適用基準や効果に関するリサーチが乏しく、薬物療法と精神療法との力関係が微妙になってきているとの指摘もある。

そのうえで大西守は、薬物療法と精神療法の関係性を重視し、臨床の場面ではさまざまな最新医療が応用され細分化される専門領域で、その知識や技術を誰が的確に統合し判断するのかが課題であると付記している。(28)

このように精神療法はその特質から考慮して、人のこころの痛みを軽減することを第一義としつつも、その人の生きようとする力を最大限にケアする目的をもっている。

近年、精神療法には精神医学だけでなく社会学・死生学・看護学・精神分析学・心理学・人類学・現代思想・アートなど多様な分野間のネットワークが必要とされている。瞑想を

療法として導入するためには、人間を総合的にみるホリスティックケアが有用であり、これらのことから、瞑想療法を精神療法やホリスティックケアの一環として位置付けることも可能である。

瞑想を医療や福祉、教育などの領域において療法（セラピー）として実践していくためには、その根幹となる「癒されていくプロセス」としての精神療法に関する理解がなくては、その成就は期待できないが、最近は緩和ケアや認知症ケアにも瞑想療法が積極的に導入されつつある。

著者は臨床瞑想に携わって三十年になるが、高山市内の内科クリニックのスピリチュアルケアワーカーとして、医療現場や福祉の現場で瞑想を活用したセッションを行なってきた。特に音楽療法士の資格を取得してからは、音楽療法を介入プログラムとする臨床ケアに瞑想を導入して、その効果を確認している。

こうした音楽療法を取り入れた瞑想介入のプロセスにおいては、時折り「変成意識状態」(altered state of consciousness）が出現することがある。瞑想は催眠・自律訓練・単調な音楽などとともに心理学的刺激の一部と位置づけられるが、その具体例として「思考の変化、時間感覚の変化、コントロール喪失、感情のありかたの変化、身体図式の変化、知覚変容、意味体験の変容、表現不能な感覚、新生・再生の感覚、暗示性の昂進」などがある。(29)

瞑想療法の活用が臨床現場で定着するには、多くの成長モデルの実証や研究を積み重ねていく必要があるが、ウエスト（M.A.West.）は、心理療法を展開するうえで、仏教の「縁起」

の理論を「依存的創造」と位置づけ、西洋哲学における実存主義的な存在論的思考を脱却して、すべての概念の底にある相互の連続性を重視する姿勢が重要であると述べている。(30)

人は自身の病気や障害や事故、あるいは身近な人の死などの人生苦に直面したときには、まずその苦しみが無くなってしまうことを解決目標としがちである。しかし、こうした苦悩はすぐに消えることはない。そこで前述の縁起への理解から、自己がこの世に存在する意味を問う「自縁」の効力、そして「他縁」の効力としての周囲の人からのサポート、さらには自他の縁を超えた「法縁」の効力によって、その苦悩を全面的に引き受け、そこから新たなる心身の健康恢復の意識を取り戻し、発展させることができるのである。

(第二章58頁「縁生の関連性と次元構造図」参照)

◎瞑想と治療者の課題

瞑想の意義や効果が高く評価される一方で、瞑想の科学的理解に関しては心理学や精神医学者からの批判もある。安藤治は、その批判には主に次の三つがあるとしている。

①行動主義や大脳生理学的アプローチから提出されるものが「科学的」であるかどうかの批判

②発達論的な主張に対するものとして、神秘主義を退行と捉え、宗教を幼児的な幻想と同一視する精神分析的方向性をもった考え方に対する批判。

③「階層化」という概念(別個の構造をもつ段階の存在、先行段階の「包括」、発達論的順序の不

変性といった考え方）を論理的に霊的領域に対して想定することは可能かという批判。
これらの批判に対して安藤は、近代のトランスパーソナル理論を中心に、生理・生化学的、心理学的視点を加味した包括的なモデルを提示しながら、丁寧な反論と解答を導き出している。(31)

一方、瞑想療法を含む精神療法や、他の代替療法の医療現場での採用には法的課題もあると指摘する三上八郎は、精神療法（リラクセーション・瞑想療法）を含む代替療法は、医師が行なう医療行為の責任として、その裁量権は医師に求められていて「①医学的適応性 ②医療技術の正当性 ③患者の同意」の三点が満たされていることを要件とするが、過去の法的な諸問題を論究して、患者の健康と意思の価値観が対立する場合には、その決定に思わぬ法的課題が残ると指摘している。(32)

また臨床家や対人援助に携わる医師、精神療法家、心理療法家、ソーシャル・ワーカー、教師、宗教家のそれぞれの領域での心理的な援助活動が、時としてクライエントには相応しいものでない、という指摘もある。ユング心理学を学んだA・グルーゲンヴィルは、「精神療法家というのは、全く困難で危険な心理学的な状態におかれている。（中略）治療者―病者元型の一方を抑圧してしまい、患者にそれを投影するという試みに引きずられてしまう。（中略）治療者―病者という対極生は意識―無意識という対極性によってもさらにはっきりしたものになる」として、心理療法家の影の部分が投影される危険性に注意を促している。(33)

近年では個人情報保護法が制定され、個人のプライバシーやハラスメントの課題が出ている。心を扱う援助者は、常にさまざまな試練に出会い、その効用について問われる立場であり、瞑想がすべての疾患に適応されるわけではない。さらには瞑想を「科学的」という名の還元主義におくことを優先するあまりに、数値化できない瞑想の本質であるスピリチュアリティの療法的側面が、向上とは程遠いものになる可能性をはらんでいることにはさらなる注意が必要である。

このように瞑想に関するいくつかの視座を確認することで、援助を主たる業務とする僧侶や支援者は、瞑想活動のすべてが対象者のためになっているという自己欺瞞に落ち入ることのないように、常にその活動の光と影の部分を精査し、吟味しながら慎重に活用する謙虚さが求められるのである。

◎瞑想瑜伽研究と心理療法としての妥当性

心理療法や精神療法において瞑想を活用する研究は、すでにアメリカでは一九五〇年代に始まっていて、精神分析学的原理に依拠した当時の心理療法は、薬物にくらべて効果が薄く、科学的根拠から支持できないという主張もあった。そして一九七〇年代に行動変容の心理学理論が出てくると「評価しようとするものが何であるかを知らないで治療結果を評価するのは無意味である」という議論もされながら、一九八〇年代以降は、メタ分析などの量的研究法が適応されて、実質的な多くの検証結果が提出され、精神的治療が一般的

には有効であるとの見解が打ち出されるようになったのである。(34)

近代医科学は、このような議論と実験を繰り返しながら進展をしてきたといえるが、西洋医学を中心として発達してきた明治以降の日本の医学・医療の背景には、近代のEBM(科学的根拠に基づいた医療：Evidence-based medicine)重視の伝統がある。すなわち、医師の直観的な医療行為を是正する風潮の中から診断法・治療法・薬物などにおいて、その研究成果や実証的・実用的な根拠を用いて、効果的で質の高い医療が求められてきたのである。このEBMが医学の発展に重要な役割を担ったことは否定できないが、一方ではEBMの医療技術評価として二〇%の有効性にすぎないという研究もある。(35)

瞑想の効果の測定研究は、主に「心理社会的、臨床的、神経心理学的、神経生理学的、神経化学的、神経生物学的、ヘルスケア利用成果」の領域で実証されてきている。アメリカのヘルス・ヒューマン・サービス局のヘルスケア・クオリティ機関では「健康のための瞑想」リサーチ事情(二〇〇七)の中で検索された一一二〇〇本の参照文献のうち、八〇九本の研究(五四三の介入研究と二六六の観察分析研究)の検討がなされている。

このような社会事情を反映して、アメリカでは補完医療が七〇億ドルのビジネス産業となり、瞑想は人々が利用する代替医療トップ一〇の一つに入っている。国立CAM(補完・代替療法：Complementary and alternative medicine)センターの報告によるとアメリカ人の八%が健康手段としての瞑想を利用していると報告されている。(36)

このような事情から、近年はEBMを重視しつつも、一方ではCAMの導入が叫ばれている。医科大学でＣＡＭを研究している今西二郎は、補完・代替療法を「一般に大学の医学部で教育されている主流の現代西洋医学以外の医学をすべて指す」と説明し、「民族療法などの体系的医療、食事に関する治療法、心を落ち着かせ体力を回復させる治療法、体を動かして行なう療法、動物や植物を育てることで精神的安楽を得る方法、感覚を通してより健康になる療法、物理的刺激を利用した方法、外からの力で回復させる治療法、宗教的治療法」などがあるとしている。

そしてそのなかに「瞑想法」があり「瞑想状態はα波の増加だけでなく、θ波の増加も起こり、その状態がスピリチュアリティの向上」を促進すると報告している。(37)

また西洋医学教育と透析医療を実践し、東洋医学の気功療法を通して統合医療の重要性を述べている阿岸鉄三は、代替療法について、科学的検査法がそのままでは適用できないものも少なくないとし、安易な数量的、科学的判断を優先するあまりにエビデンスの評価だけを重視する傾向を批判し、両者の区別を明確に理解したうえでの「科学的医療と非科学的医療の統合性」を主張している。(38)

このように、瞑想療法を含む代替療法のあり方が問われる中で、必ずしも科学的評価に偏ることなく、なによりも地道な臨床実践や研究が展開されていくことが重要である。そして瞑想療法の研究的側面を重視しつつも、多くの臨床現場で実践経験を積み重ねる必要があり、今まさにその時期が到来しているといえるのである。

◎瞑想療法と弁証的行動療法

瞑想療法という名称を用いて、代替・補完医療の視点から統合医療を推奨する今西は、瞑想療法が健康志向と疾患治療に有効であると報告している。その対象となる疾患の症状として「高血圧、肥満、気管支喘息、虚血性心疾患、不眠症、アルコールや薬物乱用、痛み」などに適用性があるとしている。(39)

瞑想療法のさまざまな課題もある中で、わが国で瞑想療法を精神医療に取り入れているのがＤＢＴ（弁証的行動療法：Dialectical behavior therapy）である。これは一九八七年にアメリカの行動心理学者マーシャ・リネハン（Masha M. Linehan）によって開発されたもので、認知行動療法として、ＢＰＤ（境界性パーソナリティ障害：Borderline personality disorder）の診断に関連する自殺行動としてのリストカットや過量服薬などの、意図的な自己破壊的な問題行動に対する多くの有効性が実証されている。(40)

精神療法には医療的モデルと成長モデルがあることは前述したが、ＤＢＴとは「対話や関係性を重視し、クライエントへ変化をもたらす治療者が用いる治療法とストラテジー」のことである。ＤＢＴはいくつかの技法を組み合わせて行われている。

それは①今この瞬間による行動の受容と行動化の強調 ②患者と治療者の双方における治療妨害行為の取り扱いの強調 ③治療に必要な治療関係の強調 ④弁証法的プロセスの強調である。(41)

またＤＢＴでは、「理性的な心（reasonable mind）」「感情的な心（emotional mind）」「賢い

心（wise mind）の三つの主要な心の状態が提示される。理性的な心と感情的な心を統合したものが「賢い心」で、情緒的経験と論理的分析に直感的知識が加わったものである。(42)
ＤＢＴにマインドフルネス瞑想（後述）を導入するには、自分の揺れ動く心の様を評価しないで、まずはそのままを受け取る訓練から始まる。

この療法を日本に導入した精神科医の石井朝子は、このＤＢＴが境界性パーソナリティ障害だけでなく、摂食障害、双極性障害、外傷後ストレス障害など他の疾患への治療効果もあることを報告している。標準的なＤＢＴにおいては、「患者は週一回の個人セッションに参加することが義務づけられ、参加しない場合は、集団精神療法へは参加できない。基本的には一回としているが、患者が危機的状況では週二回とする。一回のセッション時間は五〇分～一一〇分となり、患者の病態や面接で取り上げる内容によって治療者が調整する」ものとなる。(43)

ＤＢＴでは、クライエントの苦痛に対するスキルとして次の四つの柱が設定されている。

①ストレスな刺激への接触を減らすようにして、注意をそらすようにする（Distract）。
②自分を元気づけ、優しくすることによって自分を慰める（Self-soothe）。
③ネガティブな体験をよりポジティブな体験に置き換えるようにして、その時の状態を改善する（Improve the moment）。
④ストレスを許容する、適正でない行動をしないことの長所と短所を考える。（Pros and cons）(44)

このような瞑想によって、現実を受け入れ、自分の呼吸や態度をありのままに観察し、そこから次に自我意識の形成をするきっかけをつくるのである。また、がんの終末期における緩和ケア医療の領域においても、瞑想を活用して、クライエントのスピリチュアルケアを実践している事例が緩和医療学会で報告されている。(45)

これらの瞑想においては観察・洞察瞑想が中心となっている。またこれらの瞑想は、人格形成や健康生成の視点からも学際的に研究されつつある。

◎瞑想実習で生きる力や希望を創出

瞑想は年配者だけでなく、若い世代からも関心が寄せられている。かつて著者がある国立系の大学生を対象にした瞑想研究では、参加者の同意を得て、瞑想後の質問紙でその効果を測定した。倫理的配慮としては、事前に瞑想実習と測定についての強制はないこと、本人の意思でいつでも瞑想を中止してよいことを、口頭で伝えて確認をとった。

測定はSOC(首尾一貫感覚:Sense of coherence)尺度—一三項目縮小版、ローゼンバーグ(Rosenberg)自尊感情尺度のうち七項目、PIL(「生きがい」測定)テスト part A の尺度(Sense of coherence, self-esteem, and purpose of life)を用いて、瞑想の効果を検証した。事前事後で、三尺度表についてのアンケートを実施し、瞑想をしないAグループと瞑想をするBグループのそれぞれで、前後の差を検定した。グループAとグループBの瞑想前のアンケート結果をt検定によって検定し、グループ間に差が無いかどうかを分析した。

結果はＳＯＣ尺度の「本当なら感じたくないような感情を抱いてしまうことがあるか」の設問に対して、ＡグループがＢグループより有意に高い傾向にあったものの、ＳＯＣ尺度の合計点やその他のものには有意差が認められなかった。

グループＢが自主的に瞑想をすると決断しているのに対し、グループＡはそうでないことから考察し、そもそも自主的に何かをやってみようと思う時点でＳＯＣやＰＩＬが高い傾向にあるのではないかと考えたが、そのような結果は出なかった。

ＳＯＣ尺度は有意味感、処理可能感が有意に高い傾向にあり、把握可能感については若干の有意性があった。Rosenberg の合計得点も有意に高くなり、ＰＩＬの合計得点についても若干の有意性があった。(46)

アンケート結果からは、瞑想をした群の方に、わずかではあるが、ストレス対処能力、生きがい観、自尊感情の優位性がみられ、瞑想後の向上が見られた。

自由筆記には「瞑想すると肩の力が抜けて非常にリラックスでき、気持ちが落ち着いた／ともすると乱れてしまいがちな感情や考えを整理することができた／瞑想をすることによって今一度自分自身を見つめなおすことができ、これからの人生で自分は何をしたいのか何をすべきなのか再確認することができた／人が生きていく上でスピリチュアルな部分は大切であり、それは平常心や心の安定だと思う／困難に負けず、何度倒れても立ち上がるような態度で、苦難に直面しても人生の目標を必ず実現できる」というように、個々のスピリチュアリティへの関心と洞察力が出現している。

このように大学生等の青年期における瞑想を活用した瞑想ワークは、あらたな教育プログラムとしても有用であるといえる。

これらのことから、人生の早期から死生観教育やスピリチュアリティ教育を実施する効果は、学生自身の精神性や人格向上に貢献するものと思われ、全国の医科学系や文系大学の教育に、瞑想訓練のカリキュラムが導入されることを期待したい。

なお著者はその後、出講した和歌山県立医科大学、京都看護大学、金沢医科大学、京都大学医学研究科などで瞑想についての講義と実習をすることができ、その効果の有用性を確認している。

このように瞑想療法は、心理療法や精神療法の側面をもっているだけでなく、生きがい思考やスピリチュアリティの向上に役立てることが可能であると理解できる。

日本にユング心理学を導入した河合隼雄は、人格が向上する上で「イニシエーション（通過儀礼）の体験」が、個人のアイデンティティを確立するうえで重要であるとし、心理療法がその役割をはたすと述べている。これは瞑想を用いた心理療法の役割として、発達過程における個人の自己概念の観察や通過儀礼の背景を、瞑想活動によって洞察する過程が、個人のアイデンティティの確立に有効であることを意味する。その瞑想は同時に、死生観や家族関係を観察・洞察する手助けともなる。(47)

したがって、個の人間関係や家族関係などを洞察する瞑想は、心理療法の側面からも、きわめて有効なツールであるといえるのである。

このような臨床研究の積み重ねにより、世界的な流れとして、瞑想が人格向上やスピリチュアリティの向上に役立つという見解が徐々に広まりをみせている。そしてこのような心理学上の瞑想解釈は、個人の深層心理の解明だけでなく、人類の普遍的共有価値として、瞑想が人の深い叡智に到達するためのツールであることを示唆するものである。すなわち瞑想に対する評価は、宗教的価値としてだけでなく、教育学、心理学、文化人類学、医学、死生学の発展に影響を与えているといえるだろう。

◎瞑想療法とマインドフルネス瞑想

マス・メディアでは、NHKテレビ番組（NHKスペシャル＝キラーストレス）で、マインドフルネス瞑想が紹介され、マインドフルネスが「宗教性のない瞑想」として注目を浴びてきた。(48)

マインドフルネス（Mindfulness）とは、第三章で述べた初期仏教の「念」を意味するインド古代語のパーリ語（Sati）が、アメリカで翻訳された用語である。一九八一年にMBSR（注意に基づくストレス低減プログラム：Mindfulness-based stress reduction）が米国マサチューセッツ医学センターでジョン・カバットジン（Kabat-Zinn，一九九二）によって開発されてから、多くの治療的臨床研究がなされて成果をあげている。

カバット・ジンのバックグランドは分子生物学で、体験的に仏教瞑想（禅）やヨーガから示唆を受けつつも、その宗教性を除外して州立大学に「マインドフルネス・ストレス低減クリニック」（一九七九）を開設し、「マインドフルネス・センター」（一九九五）を設立した。

博士はそこで、マインドフルネス瞑想の実践を中核とする介入プログラム「ストレスリダクションとリラクセーションプログラム（Stress reduction and relaxation program）」のちのMBSRの開発とその効果研究に取り組んだ。当初は慢性疼痛の患者に適応されたが、以後は乾癬・乳がん・前立腺がん患者、骨髄移植経験者、刑務所収容者とそのスタッフ、多文化環境、職場環境などで適用されて効果をあげてきた。(49)

マインドフルネスは一般には「気づき」などと解釈されているが、日本マインドフルネス学会では「今、この瞬間の体験に意図的に意識を向け、評価をせずに、とらわれのない状態で、ただ観ること」と定義している。(50)

本来の「念」の意味は、過去と現在に関わる貪欲や憂いの想念のことである。仏教では偏りを離れた中道の視座で、ありのままに自己の想念を注視し続ける瞑想を重視する。この洞察瞑想は、別章で詳しく説明したように、サマタ・ヴィパッサナーの瞑想を基に「四諦八正道」の実践的修行として大切にされてきた。

マインドフルネスの生理学的知見は、「呼吸のコントロールで交感神経系の働きを調整し、血管への効果的な作用による脳の活動で、筋の緊張や影響を抑えるのに有効なはたらきをし、その結果、動脈壁はより伸びやかに弾性となり、また血流はより少ない末梢抵抗に遭遇しつつもスムーズに器官や組織などに運ばれて体内システムを循環し、人の健康が向上する」というものである。(51)

またMBT（マインドフルネスを基礎にした治療法：Mindfulness-based therapy）が、うつ病、不安、慢性疼痛などのさまざまな身体的および心理的障害を効果的に治療するために活用され、線維筋痛症、慢性疲労症候群、過敏性腸症候群などの身体化障害の治療においてもその可能性が探究されている。(52)

また、瞑想とテロメラーゼ活性や肯定的な心理的変化とを結びつける最初の研究もある。今後は十分な臨床的データが必要であると考えられるが、瞑想の医学的研究についての報告は、年ごとに増加している。(53)

◎マインドフルネス認知療法に基づいた臨床介入研究

マインドフルネスを基礎にしたアプローチは、しばしば「第三世代認知行動療法」と呼ばれている。第一世代の行動療法は、一九二〇年代にパブロフによって発見されたレスポンデント条件づけやオペラント条件づけを基礎にした、行動が強化される過程に介入する治療法のことを指す。また、第二世代は一九七〇年代に誕生し、行動療法のアプローチに認知療法を加え、非合理的な信念や非機能的な習慣、気分を落ち込ませる環境を変えていく治療法のことを指す。(54)

日本においては、精神科医でマインドフルネス瞑想のエビデンス研究をすすめる林紀行が、RCT（ランダム化比較試験：Randomized controlled trial）によって、無作為にMBI（マインドフルネスに基づいた介入：Mindfulness-based intervention）を行った群と、何もしない群とに振り分けて集計報告をしている。

研究では一三論文を採用して分析し、多くの疾患に対して瞑想活用の有意性があるとしているが、同時に、介入方法にはかなり課題もあって、瞑想指導者の質の担保が重要であるとも報告している。(55)

また林の別の研究では「身体的な効果としてマインドフルネスがストレスを一時的にため置き、そうする間にストレスは低減し、回復力が培われることが慢性疼痛や免疫機能、さらには線維筋痛症、過敏性腸症候群を含む心身症など幅広い身体の健康に関わっていること」、「精神的な効果としては抑うつ症状と不安症状は体験の回避やセルフジャッジメント(思い込み)、反芻がトリガーとなり、それを減らすことがマインドフルネスの作用機序と考えられ、MBCT(マインドフルネス認知療法:Mindfulness-based cognitive therapy)によるうつ病の再発予防効果のほか、MBCTが急性期うつ患者の症状を減らした」との報告をしている。

さらに依存症には前述のMBSRに、認知行動療法を取り入れたMBRP(マインドフルネスに基づく嗜癖行動の再発予防:Mindfulness-based relapse prevention)が開発され、「禁煙者で主観的・神経学的な渇望を減らし、女性薬物乱用服役者の薬物乱用日数や法的問題の数を標準的な予防プログラムよりも減らした」との報告がある。(56)

マインドフルネス瞑想の精神医学的運用については、日本マインドフルネス学会理事長の越川房子の研究や論文、著書が豊富にあるが、その一つに前述のMBCTの適応が報告されている。それによれば、ＭＢＣＴは特にうつ病再発予防を目的として開発され、その再発防止効果が実証されたプログラムであり、うつ病の再発防止に関する費用対効果の見込める代替療法として、ＮＩＣＥ（イギリス国立医療技術評価機構）の認証を受けている。(57)

ＭＢＣＴは、週一回二時間程度のセッションからなる八週間の集団療法プログラムである。その内容は二つのプログラムで構成されており、一つはマインドフルネス瞑想の実践で、もう一つは認知療法の要素を組み入れた対象症状に関する心理教育である。その八回のセッションの中心となる内容は、次の項目にある。

⓪事前面接…参加者に役立つかどうかを見極め、参加意思を確認する。
①マインドフルネスという注意の向け方が体験の質を変化させることに気づく。
②ものごとへの価値判断を伴った解釈が悪循環の引き金になることを示す。
③分析的・知的な方法とは異なるストレスとの関係の取り方を学ぶ。
④嫌悪と執着がストレスを生み出していることを知る。
⑤あらゆることに気づきを向けることを実習する。
・受容について学ぶ。
⑥〈思考としての思考〉との付き合い方を実習する。
⑦活動と気分の関係を検討する。
・再発の兆候に気づく。
・嬉しい感じ、うまくいった感じを味わえる活動リストを作成する。

⑧マインドフルネスの実習の継続に必要なことを検討する。

さらにその実践的な内容は、レーズンエクササイズ、マインドフルネス・歩行、マインドフルネス・ヨーガ、ボディスキャン、呼吸瞑想などで、MBCT独自の三分間呼吸ペース法（①今・ここにある考え・感情・身体感覚に注意を向ける ②呼吸に注意を集める ③全身の身体感覚に注意をむける）などがある。このようなマインドフルネス瞑想の効果として、「注意のコントロールの増大や感情が、課題の達成を阻害するうつ傾向の減少などに有用性がある」としている。(58)

MBCTなどのマインドフルネスに基づく介入効果の研究や、その検証としてのメタ解析やランダム化比較試験（RCT）は年々増えているが、牟田季純や越川らは「うつの再発や維持とマインドフルネス実践の密接な関係や効果機序を説明する」理論として『ICS（相互作用認知サブシステム：Interacting cognitive subsystems）』を用いてその有用性を述べている。

さらに、マインドフルネス瞑想をICSの枠組みに入れることを「身体に向けた注意がそこから離れないようにする方法は、合意系で身体状態をバッファー〈感覚入力への自動的な解釈〉し、意味づけが起きないようにしておくことを意味する。そこから離れて思考や感情といった対象に注意が奪われ囚われている状態は、合意系から処理の場が移動し命題系が情報をバッファーしていることを意味する」と説明している。

そして前者を being モード〈あることモード〉、後者を doing モード〈することモード〉と呼び、さらにこの両者をダイレクト処理する〈マインドレス emoting モード〉という情報処理モードを入れることで、抑うつの悪循環を深刻化させない「意識的なギヤシフト」になることに、マインドフルネス瞑想の習得意義があるとしている。(59)

このように、多くの研究者や実践家がマインドフルネス瞑想を臨床現場に反映させている。

◎集中瞑想と洞察瞑想の治療的効果

ジョン・カバットジンやマーク・ウイリアムが、うつ病再発予防のための八週間のマインドフルネス認知療法プログラムを創案した背景には、マインドフルネスが「ものごとをあるがままに受け容れ、現在の瞬間に価値判断をせずに注意を向けることによって現れる意識＝気づき」であることがベースとなっている。(60)

マインドフルネス認知療法がうつの再発予防に作用するのは、うつの根本である「沈んだ気分を持続・反復させてしまうようなタイプの反芻思考に対して、的確なアンチテーゼ(反定立)になっている」からである。

それは「①マインドフルネスは意図的であること ②マインドフルネスは経験的なものであり、現在の瞬間の経験に直接的に焦点を合わせること ③その瞬間に実際にあるがままの姿で物事を見、その姿で存在することをあるがままに受け入れること」にある。

飛騨千光寺で行われている臨床瞑想法の研修の報告では「みつめる瞑想(観察・洞察瞑想)」の訓練で、「レーズンを食べるワーク」を行う。

マインドフルネス瞑想の定番メニューであるが、普段なにげなく食べるレーズンをマインドフルに「持つ・見る・触る・匂いを嗅ぐ・置く・味わう・飲み込む・追跡する」というレーズンエクササイズの目的は「自分自身を感覚経験の豊かなインプットから切り離してしまうと、どれだけ多くの重要な洞察を取り逃がしてしまうかを示す」(61)ものであるが、著者のアプローチでは、一味工夫を凝らして、最初に普段のようにレーズンを、まずは一粒なにげなく食べ、その後にマインドフルに食べるという方法を採用している。

それによって多くの参加者はその違いに驚き、普段の思考回路を見直す作業となり、またそれが、物事の中心的課題を洞察する瞑想訓練となるのである。

二〇一九年に千光寺の敷地に建設した「バザラホール・国際平和瞑想センター」内には、「ラビリンス(Labyrinth)」という歩く瞑想の道が常設してある。その歩く瞑想ワークでも、サマタ瞑想を活用した集中瞑想や、瞑想者の過去・現在・未来を洞察することが有効である。

これらの学習の効果は、前項の being モードと doing モードの違いを知ることにある。そしてこれを日ごろの感情作用に置き換えて洞察すると、たとえば悲しいことを経験している自分の being モードと doing モードとの違いを感じて、前提や推定なしに、その瞬間だけをありのままに経験する態度価値を学習することができるのである。

つまり、現在の瞬間に生きるすべを訓練によって学習し、「思考を一過性の精神的出来事としてとらえる」ことで、うつ状態の中で立ち往生してしまいがちな心の自動操縦装置を「オフ」にし、現実の直接経験の「気づき」によって、日ごろの「作業モード」ではなく、あるがままの「存在モード」で過ごすことを選ぶ生き方によって、徐々にうつ状態の再発を防止できるようになるのである。

このような臨床的経験と実践が、マインドフルネス認知療法（MBCT）として、シーガル（Zindel Segal,2002）によってうつ病再発予防療法として開発され、その効果が実証されたプログラムとして確立された。元来、うつ病の再発率は高く、半数以上が少なくとも一回は再発し、二回以上の再発可能性は七〇〜八〇％といわれているが、これに対して、マインドフルネス認知療法は、うつの再発を三回以上繰り返した群の四回目の再発率を、ほぼ半分に抑えたことが報告され、世界的に注目された。(62)

越川はマインドフルネス認知療法が「症状を治すべきもの、あってはいけないものと考えるのではなく、何であれ、今ここにあるものを否定せずに内外の刺激に意識的に気づいていくこと」という点が、「森田療法と重なる」と指摘している。(63)

瞑想の習慣や訓練によって脳が成長することがほぼ解明され、予防医学的な視点や健康回復を目指す分野での瞑想に関する研究も盛んに行われている。また瞑想の効用や効果についての科学的な報告が、アメリカの権威ある科学雑誌にも掲載されるようになった。

そうした論文の中には、マインドフルネス瞑想を取り入れたものもあるが、その一つに、三種類の瞑想実験に関する研究報告がある。(64)

①フォーカス・アテンション瞑想――呼吸の出入りに集中する瞑想法

②マインドフルネス瞑想&オープン・モニタリング瞑想――現在の感情・思考・感覚に対する情緒的でない気付きを涵養して、感情・思考・感覚が制御できない精神的苦痛を避

けることを目指す

③慈悲の瞑想――他人に対する慈悲の感情を涵養する

緩和的瞑想は呼吸の連動を重視する。意図的な呼吸で自律神経系に働きかけると、入息では交感神経が活性化し、出息では副交感神経が活性化する。意図的な呼吸によるこうした生理的な反応により「深い休息感」、「呼吸数・分時換気量・心拍数の大幅な低下」、「脳波のアルファ波とシータ波の増大による目覚めた機敏さ」などの出現が判明している。

医師で禅僧である川野は、機能的MRIによる瞑想の効果を研究して、瞑想によって次の変化があると報告している。

①注意制御機能の向上（右前部島皮質・背外側前頭野の活性化）。
②身体感覚（内受容感覚）への気づき（体性感覚野の活性強化）。
③体験に対する情動反応の変化（扁桃体・内側前頭前野の活動の変化）。
④自己感による客観視（メタ認知）（右前部島皮質・右背外側前頭前野の活動強化）。(65)

◎瞑想によるセルフ・コンパッション（自利と慈悲）

コンパッション（Compassion）とは一般に「慈悲」と訳されるが、セラピー用語としての「セルフ・コンパッション（Self-Compassion）」は「自分に対する慈悲」「自分に対する思いやり」の意味となる。(66)

「慈悲」は「自利利他」にも通じる仏教用語であるが、その「慈悲」を取り入れた重要な観法に「四無量心観」がある。「四無量心」については、第二章「増益・敬愛瑜伽行」で触れ、第三章でも詳細に述べたが、それをまとめると次のようになる。(67)

・慈無量心 (maitrī apramāṇya)
生きとし生けるものに楽を与えること。(父性原理=与楽)
・悲無量心 (karuṇā apramāṇya)
相手に共感し、苦を抜くこと。(母性原理=抜苦)
・喜無量心 (muditā apramāṇya)
他者の楽をねたまないこと。(自己の命に感謝)
・捨無量心 (upekṣā apramāṇya)
愛憎親怨の心がなく、心が平等・平安であること。(無我)

「慈」とは、そこに愛情を感じることで、共感との相関性が考えられる。共感との違いは、「慈」には、平行視線より少し上の段階から俯瞰する要素があることである。「心を込めて誰かを愛する」という念は、それがたとえ一方的なものであっても、エネルギーが放出される。そして受け取る相手がそのことを感じた時に「愛されている」との共感が生じる。いわば「エロス」ではなく「アガペー」的な愛情である。

「悲」とは、悲しいという字を書くが、大悲の意味で「おおいなる憐み」の心である。相手が苦しんでいたり、悲しんでいるその心に共感し、苦しみを抜いてやりたいと願う思いやりの心であり、慈みの心の平行的視座である。

「マインドフルネス瞑想」で触れたように、マインドフルネスは自己の表層意識のコントロール機能に効果があるが、それをさらにバージョンアップさせるのが「慈悲の瞑想」であり、そこに「慈悲」を採用した〈臨床瞑想法〉の意義がある。

マインドフルネスを習得したアメリカの心理療法士ティム・デズモンドは、この「慈悲」を取り込んだ「セルフ・コンパッション・スキル・ワークショップ」を開催している。セルフ・コンパッションとは、「今ある自分を受け入れ、たとえ自分が何一つ変わらなくても、愛され、受け入れられ（accepted）、認められていると感じ、心の深いところで、自分が根本的に大丈夫であり、心の内側から語りかけてくる〝自分は美しくて、たった一人のかけがえのない人間なのだ〟という声に耳を傾け、そう思えること」である。(68)

科学者たちの調査によれば、「これまで記録されたなかで、幸せの指標がいちばん強く脳に表れていたのは、コンパッションを集中的にトレーニングした仏教僧侶だった」という興味深い報告もある。(69)

ほかの臨床実験でも Loving-Kindness and Compassion Meditation（愛と慈悲の瞑想）などを行うと、共感と関連した脳の部位の活動が増すという報告もある。(70)

臨床瞑想法では**〈たかめる瞑想〉**ワークで「慈悲の瞑想」を取り入れている。慈悲の瞑想では、単に瞑想をするだけでなく、偏らない平和な心で他者に慈愛の心を向け、他者の幸福を願うことが重要であり、それによって「自利利他」の徳が発揮される。つまり慈悲の瞑想では、そこに具体的な対象者が存在するかどうかに関わらず、慈愛の心を起こして、周囲にその念を送ることが大切なのである。それによってたとえ具体的な反応がなくても、慈愛の念がエネルギーとして自他に影響するからである。

密教の祈祷が有用なのはこのような理論が背景にあるからであり、だからこそ瑜伽行者は心して「祈りの修法」をすべきなのである。科学的な研究調査からも「慈悲心」を育むトレーニングはどれも有用とされている。それは自分を活かしたうえで、他者を支援するための生き方につながり、自心の深層部から人格やスピリチュアリティを活性化してさらなる向上に役立つ瞑想法である。

◎瞑想による感情のコントロールの有用性

慈悲の瞑想に「自利利他」の効用があるのは、そこに怒りや憎しみをコントロールする要素があるからである。

著者の瞑想共同研究の一つに、二〇一一年の東日本大震災で被災した医療者十七名を対象に実施した瞑想研修がある。これは瞑想による効果を調査したものであったが、その方法としては、アンケート調査によるデータと、文章記述による質的データの両方を使用した混合研究法を採用した。

その結果、瞑想の前後を比較した量的データからは、感情スケール「怒り・混乱・抑うつ・疲労・緊張・気力」が著しく改善したことが示され、質的データの結果からは、いくつかの共通テーマ「慢性的な身体的症状からの解放／全人的な感覚／身体感覚を超越した省察により人生の軸を取り戻す／自己コントロール／感謝の念／ありふれた日常への瞑想／震災後に味わった苦痛からの解放」等が示された。(71)

こうして著者が関わった実証的研究により、瞑想の不可視部分について詳細に分析することが可能となったのである。

瞑想が人の心の深い部分に関わっていることは第三章でも扱った。特に「菩提心」の項で苦しみや迷いのことを「煩悩」と総称し、「貪・瞋・痴」を代表的な煩悩として三毒と称することも述べた。「貪」とはむさぼりで欲望そのもの、「瞋」は怒りそのもの、そして「痴」は真実を知ろうとしない愚かさをいう。

仏教では、この三毒を克服するために「自分さえよければいいという欲望を持たない、怒りをコントロールする、物事の真実を見抜く眼を持つ」ということを教えるが、この中でも特に「瞋」、つまり怒りのメカニズムはある程度生理学的にも解明されている。

まず怒りの感情は他者だけでなく、自己への攻撃にもなる。なぜなら強い怒りの感情はコルチゾールというホルモンを分泌させ、脳の海馬を萎縮させることが医学的に解明されているからである。ちなみに海馬が委縮すると認知症になりやすいといわれている。

つまり怒りっぽい人は、脳血管系列の障害や心臓などの血液循環系の病気になりやすい状況を自分で作りだしているのである。長生きしたかったら、怒りをコントロールする術を覚えて、健康を管理することが肝要である。そういう意味では「三毒」の毒とは単なる譬喩ではなく、人の心身の健康に悪影響を与える文字通りの「毒」なのである。

この〈怒り〉というマイナスの感情をコントロールするためには、「慈悲の瞑想」が有効である。具体的には鎮静的・緩和的な瞑想である**〈ゆるめる瞑想〉**と**〈みつめる瞑想〉**との併用が効果的である。まず深い呼吸を繰り返しながら、「今私は怒っている」と自分を客観視しながら瞑想を続け、次に「今私は、怒っている自分を発見している」と、主観と客観との渉入から生まれる「気づき」に至ることが重要なのである。

〈怒り〉や〈悲しみ〉などの背景には、これまでに自分が経験したことを土台にして自分で作りあげた「物語（ストーリー）」による、自分中心のパターン化した思考への執着が影響している場合が多い。

唯識説ではこうした執着を、自分の心が作り出した「我執としての識」であると指摘し、その執着を手放すことを「空」とか「無我」という言葉で表している。

「物語（ストーリー）」といえば、一般には「この映画のストーリーは少しおかしいね」とか「あなたの人生のストーリーはそれでいいの」などと何気なく使っているが、「物語」にはストーリー性とナラティブ性の二面性がある。つまりストーリー性が「既に作られた物語」であるとするならば、ナラティブ性は「もの（いまの心）を語る行為」のことである。この場合の「語る」とは、自分の過去の思い出や体験に意味づけして、目的意識を持って言語化しようとするプロセスそのものをいう。

人は、自分の過去という事実を変えることはできない。しかしたとえば〈怒り〉のストーリーを書き換えて、「私は過去の経験から現在の〈怒り〉をこのように意味づける」、あるいは「過去の体験の意味づけにより、今後はこんな生き方ができるかもしれない」などと自己の内面を正直に精査することによって、〈今・ここ〉の自分の感情や意識を修正したり、発展させたりすることができるのである。

このように思い切って自分の内面の物語を変えることで、現在の認知のゆがみを修正して煩悩（無明）を克服することが〈慈悲の瞑想〉の効用であり、それが増益・敬愛の**〈たかめる瞑想〉**に通じるのである。著者は、かつてスリランカへ短期留学して森の僧院で瞑想修行に励んだが、それ以来、著者が慣れ親しんでいる〈慈悲喜捨の祈りの文〉を、〈第二章〉**〈たかめる瞑想〉**の項の末尾（51頁）に掲載した。

◎祈りの研究とその効果

慈悲や愛他的感情は、具体的には祈りの行為によって表される。祈りには

①自分の為に祈ること

②だれか重要な他者（伴侶、家族、友人など）の為に祈ること

の二つがある。見えない世界に思いを馳せる「祈り」に、どんな意味があるかという思いは誰もが抱きやすい疑問であるが、実は最近では医科学的な視点からの「祈りの科学的

研究」が進んでいる。

アメリカで行われた「転移性乳癌の女性における精神的な発現と免疫状態」という研究によると、ステージ四の転移性乳がん患者一一二名を対象にして、祈りやスピリチュアルを大切だと思い、実際に教会の集会（祈りの場）に参加した人の機能が、その後どのように変化したかを測定した結果、白血球数・リンパ球の絶対数・ヘルパーT細胞などについて有意性のある変化が示されたという。

この場合に特徴的なことは、単に祈りの集会に参加するということではなく、祈りやスピリチュアルなものへの積極的な関心をもって参加し、実際に祈りの場に立ち合ったということであり、そうした行動によって有意な結果が出たということである。これは「祈りが重要であるという認識をもって祈る」ことが大切であることを示している。(72)

別の祈りの研究として、オーストラリアのがんセンターで、二〇〇三年六月から二〇〇八年五月までの五年間にがん患者九九九人を対象にした調査がある。この研究では、キリスト教の祈りを提供する外部グループに、遠隔的他者への祈りを依頼することで行われた。

まず患者を介入群五〇九人とコントロール群四九〇人とに分類し、介入群には祈りの事実を明示しないで調査が行われた。その結果は、介入群ではコントロール群と比較してスピリチュアルな幸福が時間の経過とともに有意に大きな改善を示し、また機能的幸福に於ても同様の有意性が検出された。また研究チームが、遠隔的他者への祈りを受けるために無作為に割り当てたがんの参加者は、微量ではあるが精神的な幸福のＱＯＬ（生活の質）が

有意な改善を示したと報告している。(73)

科学的調査データに基づいた心と自然治癒力の関係について研究したアメリカの医師、ラリー・ドッシーは祈りの効果について次の三点を挙げている。(74)

①祈りには効果がある。

②希望には治癒効果がある。

③絶望によって人の命は失われる。

これをもう少し具体的に説明すると、

①の祈りの効果については、一三〇件以上の適切な管理下による科学的実験によって、祈りや祈りに似た思いやり、共感、愛などは一般に人間から細菌に至るさまざまな生物に健康上にプラスの変化をもたらすとの統計学的な見解を説明している。

②の希望に治癒効果があるとする研究では、心臓手術の患者二二三人を対象にした「宗教的な感情や行為」が果たす役割の調査で、「希望を持っている人」はそうでない人よりも術後の生存率が高くなっていることを明らかにしている。

③の絶望と人の命の相関性は、人間を対象とした多くの研究から、人は不吉なことを信じたり、むなしさに圧倒されると死に至ることがあるという興味深い報告をしている。

これらの研究を踏まえたうえでも、他者のために祈るという行為にどれだけの効果があるかという議論は起こり得るが、「祈りの遠隔効果メタ解析」という研究もある。

アスティン(Astin)らは、「遠隔治癒の有効性：無作為化試験の系統的レビュー」として、

RCT（Randomized Controlled Trial）デザイン研究二三編をメタ解析している。RCTとは、「ランダム化比較試験」のことで、評価のバイアス（偏り）を避け、客観的に治療効果を評価することを目的とした研究試験の方法である。(75)

またメタ解析（meta-analysis）とは、複数の研究の結果を統合し、より高い見地から分析する統計解析のことで、エビデンス（根拠）において最も質の高い解析であるとされている。その研究では七七四人の患者を含む合計二三の試験が分析された。そのうちの五は遠隔の治癒介入としての祈り、一一は非接触治療タッチを評価し、七は他の形態の遠隔治癒を調査した。その結果、二十三の研究のうち、十三（五七％）が統計的に有意な治療効果が得られ、有効性が評価されたという。(76)

こうした祈りの研究は今後も続けられる方向にあるが、古代から人々は、人生の艱難辛苦に遭遇したとき、または家族の病気平癒や幸せを願って、心身一如の祈りを続けてきた文化と伝統をもっている。また高野山には一二〇〇年間の祈りの歴史的背景が、史実として存在する。慈悲の心をもって祈ることは、それだけで素晴らしい調和ある人間力を発揮することであり、〈瑜伽行〉の最高の命題の一つともいえるのである。

◎即身成仏の心理学的知見

仏教の悟りや、高祖大師の教説である「即身成仏」を心理学的知見から読み解くと、それは変性意識状態のことであるといえよう。この心理学の領域は「トランスパーソナル心理学

（Transpersonal psychology）」であるが、創始者は「至高体験」などの言葉を生んだ心理学者マズロー（A.H.Maslow）である。

マズローは、人が生きていくうえで必要となる欲求（ニーズ）の段階説を提唱し、
①生理的欲求（physiological need）②安全の欲求（safety need）
③所属と愛の欲求（social need/love and belonging）④承認の欲求（esteem）
⑤自己実現の欲求（self actualization）⑥自己超越者（transcenders）
を解き明かした。(77)

これは、人には本能的・生理的な欲求（必要）が充たされたあと、順々にその欲求が上昇し、最後はスピリチュアルな世界にまで向上する人格変容のプロセスが存在するという説で、こうした欲求を否定すれば人間存在は消滅するという。『理趣経』に説かれる欲望の肯定にも通じるところがあり、マズローが最終ゴールに据えたトランスパーソナルな自己超越心とは、密教の目指した成仏と同じ意味だともいえよう。

臨床心理士で、自らも瞑想実践を行っている石川勇一は、トランスパーソナルな視点での具体的なセラピーとして、スピリット・センタード・セラピー（スピリット中心療法）を提唱している。これは、高次な意識の場によって「心身を精妙なレベルから癒し、浄化するだけでなく、問題を一つの契機として、意識を拡大し、霊性を体現した新しい生き方ができるように自分や他人を導く、心理療法などのヒューマンサポートの根本原理である」として、スピリチュアリティの高め方を説いている。(78)

もともと「仏教」という言葉の意味するところは、「仏に成る教え」であり、成仏を目的としている。密教はそこに注目し、「永い長い修行を経て仏になる」のではなく、この肉身をもって「生きているうちに仏になる」ことを教示したのである。

最先端の心理社会学者のケン・ウィルバー（Ken Wilber, 1949～）は、トランスパーソナルな存在や意識と知の世界を一〇段階に分けて説明している。具体的には「ポスト形而上学の存在と知のレベル」として次の一〇項目になる。(79)

①古代（感覚運動系）
②呪術―アニミズム
③自己中心的、力、呪術―神話
④神話的、自民族・集団中心的、伝統的
⑤合理的、世界中心的、実用主義的、近代的
⑥多元主義的、多文化的、ポストモダン
⑦統合の開始、低度ヴィジョン、ロジック、体系的
⑧グローバル・マインド、高度ヴィジョン、ロジック、高次の心
⑨パラ・マインド、超グローバル、証明された心
⑩メタ・マインド、オーヴァー・マインド（大霊）

これが、近代スピリチュアル学の第一人者であるウィルバーの論述するインテグラル（統合）意識の十段階論だが、何と一二〇〇年前に高祖大師が著した『秘密曼荼羅十住心論』に

おいて、同じく十段階に分類された修行の階梯が開示されていることは驚きに値する。

もちろん、ウィルバーの説と大師の『十住心論』がぴったり符号するわけではないが、心の階梯を解明する理論として比較考察するには、大変に興味ある見解ではないだろうか。近代の科学文明によって、人々の心の姿やその成長過程への理解が進むにつれて、一二〇〇年前の人々と現代人の心的構造が、それほど大きく変わっているとは思えないのである。

即身成仏を、最新のトランスパーソナル心理学で読み解くと、高次の心である「グローバル・マインド」から大霊である「メタ・マインド、オーヴァー・マインド」への境地であるといえそうだが、ウイルバーはその境地を「無境界の統一意識」と称し、「無境界の自覚」が、成仏という統一的意識の体験であるとしている。(80)

意識の階梯とその高次元を説く『十住心論』の境地は、大師の著作に散見する。第二章で扱った『即身成仏義』には、「六大法界体性所成の身は、無障無礙にして互相に渉入相応し、常住不変にして同じく実際に住せり。故に頌に『六大無礙にして常に瑜伽なり』という」とあり、(81)また『秘密曼荼羅十住心論』には大日経を引用して「かくのごとくの心身の究竟を知るは、すなわちこれ秘密荘厳の住処を証するなり。故に『経』にいわく、〈もし大覚世尊大智灌頂地に入りぬれば、自ら現に三三昧耶の句に住す〉と」とある。(82)

その「十住心」とは、次の十の境地である。(83)〈 〉内の意訳は著者

・第一住心＝異生羝羊心―〈動物的本能のような倫理以前の世界〉

・第二住心＝愚童持斎心―〈倫理的世界〜人乗〉

・第三住心＝嬰童無畏心―〈宗教心の目ざめ～天乗〉
・第四住心＝唯蘊無我心―〈無我の境地を知る～声聞乗〉
・第五住心＝抜業因種心―〈因果応報の道理を知って業から脱却する～縁覚乗〉
・第六住心＝他縁大乗心―〈慈悲心をもって人びとの苦悩を救う～法相宗・権大乗〉
・第七住心＝覚心不生心―〈一切は空性であることを悟る～三論宗・権大乗〉
・第八住心＝一道無為心―〈すべてが無自性で真実である～天台宗・実大乗〉
・第九住心＝極無自性心―〈対立を超えて繋がる世界を知る～華厳宗・実大乗〉
・第十住心＝秘密荘厳心―〈無限の展開（宇宙性）～真言宗・真言密乗〉

ウィルバーの宇宙的心理状態である「メタ・マインド、オーヴァー・マインド」は、まさに秘密荘厳心の境地なのである。

大師の『秘蔵宝鑰』の最後の第十住心は「真言密教両部の秘蔵は、これ法身大毗盧遮那如来と自眷属との四種法身、金剛法界宮、および真言宮殿等に住して、自受法楽の故に演説したもうところなり」(84)とあって、その仏の宮殿とは、大日如来の四種法身説法の境地であると説く。

真言密教の「四種法身」について松長師は左のように説明している。(85)

自性法身：真理そのものを法身とみなす。従ってこのままでは説法しない。
受用法身：本来説法のない法身が、自らの身を受用身となして説法する。
変化法身：釈尊や祖師のように、歴史的な人物として現世に現れ説法する。

等流法身：人間や動植物等がそれぞれの姿形に似せて、さまざまな姿形をとって現世に出現して説法する。

◎十住心論と量子力学

さらに十住心論を理解するのに、現代科学の量子論と関連した考察を進めてみる。

著者は物理学者ではないので、量子論についての詳細な科学的理解はとうてい及ばないが、一般常識的な観点から量子論と瑜伽行との関連をみていくことにする。

一九七五年にノーベル物理学賞を受賞したデンマーク生まれのニールス・ボーア（Niels Bohr）博士によって提唱された量子論は、それまでの古典的物理学から新しい量子物理学への道を切り開き、多くの若手研究者に対して先駆的な働きをした。(86)

近代科学の因果関係が、「原因→法則→結果」であるとするならば、量子論における因果論は「入力→作用素→出力」となる。これだけでは何のことかは解らないが、たとえば一般の科学では、元になる「データ」を一定の「計算式」で割り出して「結果」を出すというのが常識であるが、量子論では「計算式」がなく、「データ」の裏側に、見えない法則が隠されていると仮定するのである。

これを承けて密教でいうところの六大の「識大」が、量子論の「見えない法則」に該当すると想定してみよう。そしてデータに相当する「地水火風空」の五大を動かしている「識大」に、法界に関するすべての法則が働いていると思惟すれば、まさに六大縁起となる。

これを野球のゲームでいえば、ピッチャーもバッターも、そこに存在しているモノであるが、それらが作用して現出する「ストライク・ボール」という状態はモノではない。様々な因が動き、縁と融合化して、果としてのプレーが実現するのである。

こういう関係性の概念を「作用素」という。また量子論では電子は波動と粒子との二つの特性を同時に持つことを発見し、すべての物質が波動をもっていることを解明した。

原子より小さい電子がこのような性質をもっているなら、それよりもっと小さい量子の動きは、単純な物理的な因果法則ではとても扱えない。そこで量子論では「波動関数」という概念を使う。モノが動くというよりも、波動エネルギーが宇宙を動かしているとする理論である。

大師はそのことを、『声字実相義』で「五大に響きあり」と明言したのである。それがいまから一二〇〇年も前のことであるから驚きである。

ボーアの発見した量子論は、物質のもっている原理を「相補性原理」とし、一見相容れないはずの二つの物質が、互いに補い合いながら宇宙を形成しているという物質論を提唱したが、後代の量子論では「重ね合わせ」理論や「波の収縮」理論等が提起され、さらなる「多世界解釈」へと発展した。

こうした量子論の物質観は、仏教の「色即是空」の解釈にも通じ、また華厳や密教の「重々帝網」（帝釈天の張りめぐらした珠の網）のような縦横無尽のネットワーク理論との相関性もあるが、最近ではこの多世界解釈が、ミクロ世界からマクロ世界までの宇宙論に発展して「量子宇宙論」や「素粒子物理学」となり、その分野での日本人のノーベル賞受賞者も登場するようになった。

「場の量子論」の理論では、「無・ゼロは物理的にあり得ない」とされる。つまり真空の中には何も無いのではなく、そこに「真空のゆらぎ」が存在するというのであるが、この理論はまさに仏教の「真空妙有」という言葉に該当する。

かのアインシュタインの「相対性理論」は量子論と異なる理論とされてきたが、これも最近では両者の統合化が図られて、「大統一理論」として説かれるようになった。あえて説明するなら、マクロの世界は一般相対性理論によって、ミクロな世界は量子力学によって解明され、「超ひも論」（超弦理論：量子重力理論）によれば、この宇宙は十次元（十一）によって成り立つことが明らかにされようとしている。(87)

実に密教の世界観や宇宙観を解明できるのは、近代科学の量子論なのかもしれない。大師の十住心論は、現世的な横軸の関係性理解から始まって、究極的には垂直軸となる即身成仏としての次元上昇の宇宙論として解釈できるが、これを最新の宇宙物理学と相関させて考察することは、密教思想に新たな知見をもたらす福音となる可能性がある。（次頁図参照）

◎インテグラル（統合的）心理学と即身成仏

現代科学は、実に多くのことを解明してきた。これまで仏教や密教の世界で抽象的に語られていた領域が次々と科学で実証される時代である。しかしまだまだ、悟りの深遠なる

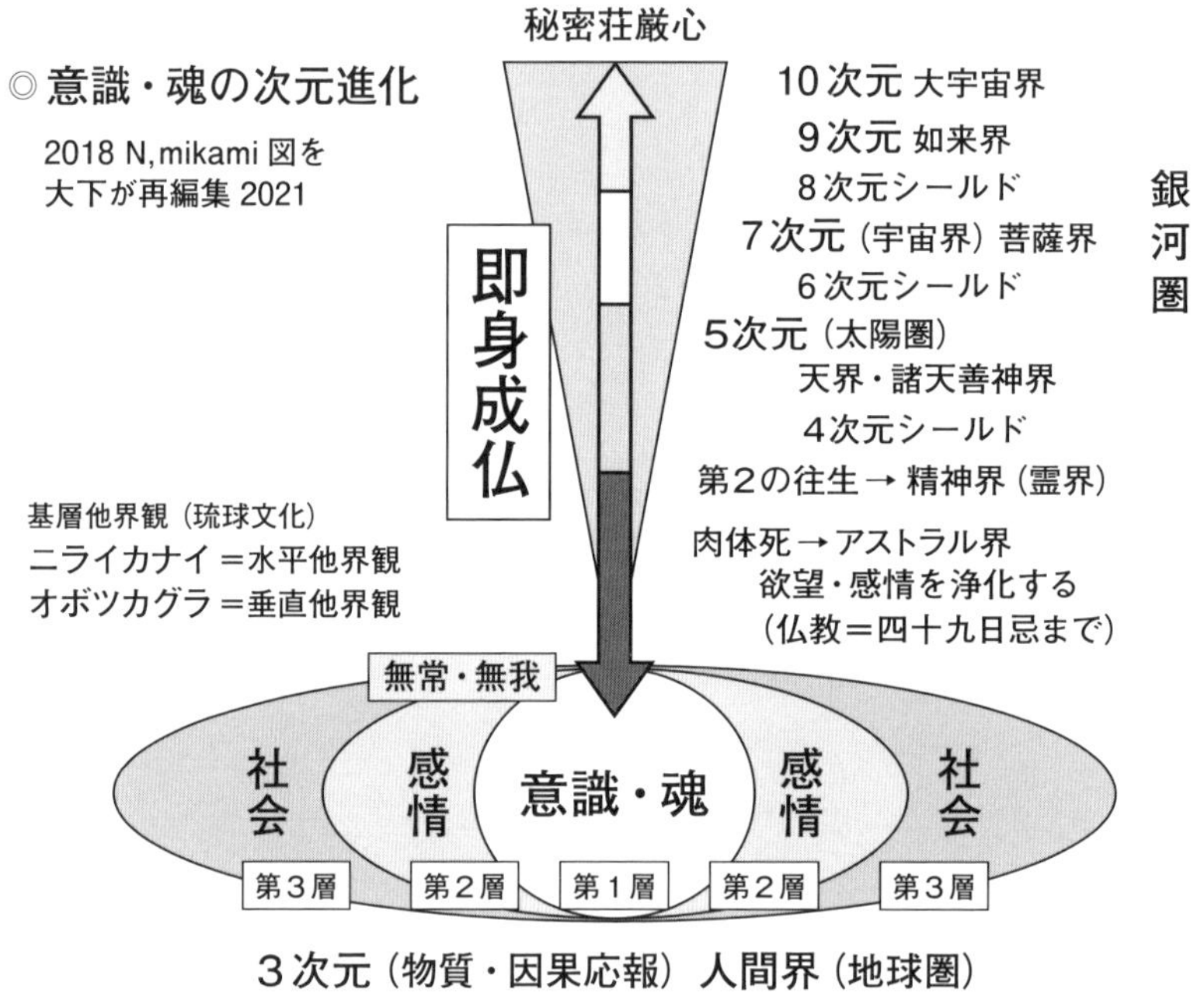

世界が解明されるには時を待たねばならない。

真言密教の曼荼羅や金胎両部の「而二不二」という融合的法界観と親和性がある〈統合〉という価値観による瑜伽行者の覚醒が期待されるところだが、ここで強調したいのは「瑜伽行法としての臨床瞑想法」も、意識の〈統合〉を目指しているということである。

著者は二〇一〇年、京都大学での研究をもとに、瞑想療法の普及を願って、「臨床瞑想法」のメソッドを開発し、「統合瞑想」を提唱した。統合瞑想には個人の統合性（Personal integration）と環境や社会の統合性（Universal integration）という双翼の目的がある。したがって統合瞑想は、多義的・多元的なマンダラ的視座をもっているのである。（拙著『瞑想療法』二〇一〇）。

大師が『秘密曼荼羅十住心論』で展開した仏教の統合化は、現代のウイルバーのインテグラル心理学や多層的社会システムにも符号するものだが、「インテグラル」とは「個人と集合」「内面と外面」といった対局にあるものを包含する思考である。

ウイルバーは『インテグラル心理学』で、変成意識状態で体験する至高体験（心霊・微細・元因・非二元）の状態を次のように説明している。（88）

「瞑想的な状態（meditative state）を実現することがますます重要になる。（中略）私たちは瞑想的な状態を通じて、高次の領域を、意図的に、そして持続的に体験することができる」

ウイルバーは、物質と心の世界を社会的・文化的・行動的・志向的側面から、個人に帰属する内面（思考・感情・感覚）と外面（行動・身体・脳・神経など）、集団の内面（文化・相互理解・場の空気）と外面（システム・制度、物理的環境など）を、インテグラル理論の「四象限」として分類している。

四象限は、ウイルバー独自の説であり「近代における価値領域の差異化という出来事の基礎をなすもの」とされているが、現代がフラットランドという平板な世界であることを理解し、そこからの意識の発達を主張している。フラットランドとは「人間の五感およびその拡張（望遠鏡・顕微鏡・写真乾板など）によって経験的に調べることができる世界のみを現実であるとみなす態度」である。それらを「微細な還元主義と粗い還元主義」で説明しつつ、古代から近代までさまざまな価値観を生み出した人間社会が、いまインテグラル（統合）な価値領域において、古来の知恵の最も偉大なところと、近代の科学的叡智の最も素晴らしい部分とを、一つにまとめることの必要性を、ウイルバーは訴えている。

そして「意識のスペクトラムを構成するすべての段階（身体から魂、そしてスピリット）において、芸術・倫理・科学のすべてが統合された」社会である「構造的ポストモダニズム（constructive postmodernism）」の到来を期待する。(89)

インテグラル理論は単なる机上の空論ではなく、実践することが重要であると主張するウイルバーは「統合的実践（integral practice）」の基本的な内容は「人間の心身を構成するすべての主要な能力ないし領域——物質的・情動的・心的・社会的・文化的・精神的／霊的——を同時に鍛えることである」と述べている。

そして現代が「ビジョン・ロジック（統合的な発想と斬新なビジョンにより特徴づけられる意識構造）の黎明期であり、ネットワーク社会後——近代的で非視点的で相互に絡み合った地球共同体が現れようとしている」から、「スピリットは今までよりも集合的な規模で目覚め始めている」と述べている。

ウイルバーのインテグラル・スピリチュアリティの理論には難解な部分があるが、要はインテグラル（総合的）なアプローチを理解して実践するには、形式的操作的な認知能力だけでなく、実践的なビジョンやロジックが必要であるということである。

これは、密教を理解するには、単なる曼荼羅の理論や経典の理解だけでなく、瑜伽行の実践なくしては正しい認知はあり得ないことと同じである。しかも、ウイルバーの「意識状態は内化（involution）で、意識構造は進化（evolution）によって生み出される」というインテグラル・アプローチによる宇宙論の原初的発想は、本来的な存在（内在）を意識化し、それを超越（無我）するという密教的発想と重なる部分があるのである。

本書では瞑想の階梯としてインドから中国、チベット、そして日本へと伝播した瑜伽行の歴史を論述してきた。いうならば、仏教のみならずあらゆる瞑想のワザは、そのすべてが尊い機能をもち、即身成仏の目的をもっていることを述べ来たったのである。

『秘密曼荼羅十住心論』や、『五相成身観』で展開された大師の真言密教は、未来志向のウイルバーのシステム理論にも相関するが、それは大師の遠大なるビジョンの内実が、ビッグバン（宇宙誕生の瞬間）から今日にまで至る宇宙の生成と、人の意識の発達過程を土台とした、超個我的（トランスパーソナル）な法界の次元へと突き進む一筋の真理だからである。

◎霊的（スピリチュアル）暴力への注意

この内容を、どの章へ入れようかと迷ったが、科学的知見の最後に、瞑想・祈祷・心身変容技術を扱うすべての指導者に注意を喚起するものとして、ここに挿入しておく。

宗教学者で臨床心理に詳しい鎌田東二は、現在日本臨床宗教師会の会長を務めているが、自身は神道家であり「心身変容技法」について永く研究を重ねている。特に『先端科学と古代シャーマニズムを結ぶ身体と心の全体性』は、三回に分けて論述出版されている。

その第③シリーズの「医療と心身変容技法の原点と展開」では、身体変容技法の負の側面として、一九九五に起きた「オウム真理教」などを例にした「霊的暴力」を扱っている。その中で氏は、「霊的暴力（Spiritual Violence）とは、宗教的暴力の中でも、目に見えない霊的（Spiritual）なモノの存在（Spiritual being）や力（Spiritual Power）によるさまざまなレベルでの圧力や抑圧破壊を示している。目に見えないモノの力を使って（たとえそれが幻想やイリュージョンや共同幻想であっても）自他を傷つけ、壊し、支配する事態がその具体的な顕れである」と述べ、そのような行為を「霊的虐待（Spiritual abuse）」といい、また霊的な世界観や力を背景にして悪質な嫌がらせをすることを「霊的ハラスメント（Spiritual harassment）」という、と指摘している。

霊的な機能を体現する目的をもった訓練や研究においては、それらの運用過程で「霊的暴力」が発生しないように注意する必要があることはいうまでもないが、特に宗教的指導者は、鎌田が云うように「霊的レベルのリスクマネジメントの準備と運用に注意深い考察と配慮が必要になる」のである。(90)

宗教的指導者は、初心者に対する瞑想指導においても、いたずらに霊的表現を引用して、霊的ハラスメントに陥らないよう心がけるべきである。

【第五章】

臨床瞑想法の研究と活用

◎臨床瞑想法の現代的運用

即身成仏観法の活用である〈臨床瞑想法〉は、これまで説明してきたように、すでに心身医学の分野で研究ツールとして採用され、先行研究も含めて実際に現代人の生活環境や臨床現場での瞑想の応用研究に貢献している。そうした経緯の中で明らかになっている瑜伽・瞑想の効果は次の三点に集約される。

①能力の開発

人の潜在意識を引き出し、学習能力・思考力・創造力などを高めて、人の能力の向上につながる。

②ストレスの解消

自律神経の安定、知覚・運動神経の発達、感覚機能の鋭敏化、不安の減少、不眠解消、老化防止等の効果がある。

③人格の発達、自己実現やスピリチュアリティの向上と覚醒意識の顕現

集中力や包括力の向上、また他人への思いやりや寛容さの増大、さらには社会性や人格の発達に寄与できる。

元々著者が対人援助の方法論や教育法として、独自に考案したのが「臨床瞑想法」というメソッドであり、このメソッドは、「臨床」現場での対人援助という目的のための勝れたツールである。したがって、そういう利他的な方法論を持つ瞑想法を、通常の瞑想と区別する意味も含めて「臨床瞑想法」と呼ぶのである。

「臨床」という言葉からは、病院や施設における対症療法を連想しがちである。しかし、著者はそうした医療福祉分野に限定せず、心理・教育・宗教等を含めた対人援助のすべての「現場」を総合して、「臨床」と考えている。

また、瞑想をセラピーとして応用することを「瞑想療法」と呼ぶが、療法とは一般にセラピーのことであり、治療に向かう方法や方向性をいう。ただし著者の考える「臨床瞑想法」とは、単なる療法に限られることなく、それを含めながらも、「瞑想の持つ多義的な機能を活用して、人の心身状態の改善と共に、その人間性やスピリチュアリティの向上をも目指す、心理的・精神的なアプローチ」なのである。

臨床瞑想法の実践においては、その指導者が「瞑想の基本理論について理解している」ことと、「実践の仕方や援助技術を習得している」ことが必須である。そこで次の三点が瞑想指導者の重要なポイントとなる。

①瞑想の効用と禁忌を理解していること

②瞑想の導入方法や展開のスキルを熟知していること

③瞑想中の対象者を観察し援助できる方法論をもつこと

この三つの条件を満たすためには、事前の理論と実践の学びが必要である。瞑想の学びの機会は、学校や師僧、そしてヨーガ道場など世の中にはいくつかあるが、大事なことは、瞑想の基礎から始めてエキスパート（熟練者）へと進んでいくためには、それなりの努力と訓練が必要だということである。そのような背景から著者は、独自の〈臨床瞑想法〉指導要項を熟考したのである。

それを具体的に述べると、臨床場面で対象者に瞑想を導入する手順としては、まずは対象者の同意や共感を得た後に、緩和・集中瞑想**〈ゆるめる瞑想〉**によって対象者の心の安定を確保することから始め、そのうえで次の観察・洞察瞑想**〈みつめる瞑想〉**を活用して、対象者の内面的な観察や洞察のお手伝いをすることが望ましい。

また必要であれば、対象者の希求する方向性を実現するために次の段階に進むが、それはあくまでも瞑想の指導の中から、対象者自身がそれまで気づかなかった自分の内面性やトラウマ、そして仕事や人間関係の中での他者への思いや葛藤を顕現させたときに、それらを再構築しようとする意志の実現のために、リードやサポートを行うのである。

そういう意味において、〈臨床瞑想法〉は、まさに対象者の心身の安定のみならず、その人格形成やスピリチュアルケアにも役立つ対人援助ツールなのである。

仏教の伝統的な瑜伽法である「即身成仏観法」を採り入れた〈臨床瞑想法〉は、密教僧としての著者の瞑想実修の蓄積を基に、医療研究機関での基礎的な理論の習得や、看護福祉および災害被災地支援での臨床体験を踏まえて、新たに構築した瞑想・瑜伽行法である。

そこでここからは、著者がこれまでに行ってきた臨床現場での活動と研究を紹介することで、〈臨床瞑想法〉の内実を明らかにしていきたい。

◎災害被災者支援と臨床瞑想法　①東北被災地

近年の大きな災害は、「東日本大震災」と「パンデミックとしての新型コロナウイルス」ではないかと思われる。著者はこの大きな二つの災害に臨床瞑想法の活用を実践してきた。

二〇一一年三月十一日の東北地方の太平洋沖大地震による災害、およびこれに伴う福島第一原子力発電所事故による災害死者は、十年目を迎えた二〇二一年三月十日で、一万五八八九九人、行方不明者二五二六人、避難者四万一二四一人に上った。その他の震災関連死を入れるとその死者は実に二万人を越える大災害である。（東日本大震災・避難情報&支援情報サイト (katata.info)）

二〇一一年四月から、少しずつ通行可能となった現地で、本格的な被災地支援活動を開始した著者は、岩手県釜石市、大槌町、大船渡市、住田町、陸前高田市へと出向いた。当初は遺体安置所での読経供養や避難所訪問を行い、その後は宮城県仙台市や気仙沼市、あるいは塩竈市での傾聴活動や座談会、さらに要望に応じて瞑想療法や音楽療法を展開した。

また原発（東京電力福島第一原子力発電所）から三十キロ圏内（一部二〇キロ圏内）の地点にある福島県川内村へは、二〇一二年六月から、京都大学の「川内村住民帰還支援活動」に参加して関わりはじめた。

この福島行きを縁として、その後南相馬市や福島市へも足を延ばすことになったが、具体的な支援活動を時系列に添って紹介すると、当初は避難所や遺体安置所から始めた活動の場は、やがて病院、福祉施設、公民館、集会場、行政施設等へと展開し、被災者の苦悶に寄り添うこれらの活動の中から、現地の医療関係者との連携がうまれ、活動の範囲や質も年ごとに広がっていったのである。こうして毎年いくつかの地を廻りながら、震災後の十年間はあっという間に過ぎ、数えてみると訪問は七十五回を超えていた。

岩手県気仙沼市・津波被災者の瞑想会

宮城看護協会の瞑想会

その中で著者は、京都大学の活動グループだけでなく、さまざまなご縁によるネットワークを通じた被災者への支援活動として、医療者を対象としたスピリチュアルケアに〈臨床瞑想法〉を活用した。その方法と成果の詳細なレポートは別の論文で発表しているので、ここでは、震災被災者に対する瞑想療法が極めて有用であることを、被災した宮城県の医療従事者を対象に行った〈臨床瞑想法〉終了後のアンケートを紹介することで報告したい。ここには、瞑想療法に参加した被災者の切実な気持ちが語られている。

【宮城県の看護師対象：回答数一二八】

瞑想後の意識の変化として

・同じ体験をしてもさまざまな体験の仕方や思いがあるのだと改めて判りました。悲しかったことや苦しいこと、つらかったことなどを素直に認め、それを乗り越えることができればと思います。

・祈りや相手への思いやり、優しい心を持って生活の中で自己の精神生活を過ごしていきたいと思いました。

・身内の死後間もないが、少し自分の考え方を見直そうかと思う。

・心穏やかに生きていくヒントや言葉がたくさんありました。

・震災で亡くなった父や友人たちのことを考えていた。いつか会えるときまで頑張って仕事をして生きていこうと思う。

・輪廻の思いを強くした。

・今回3・11で生き残ったいのちとは、と改めて考える機会となった。
また瞑想の快感覚としては
・30分くらいの瞑想が5分ぐらいに短く感じた。瞑想後、血流がよくなったのか、首や後頭部が熱くなりました。
・瞑想の鐘の音が耳の奥にしみこんでいったことには驚きました。いつの間にか寝てしまいました。

【宮城県の医療従事者対象：回答数一二八】

瞑想後の意識変化として普段の緊張感が開放された例
・地面に吸い込まれるような不思議な感覚があった。
・頭がとてもすっきりしました。
・とてもリラックスできた。
・心が少し軽くなりました。
・研修が終わってとても心穏やかでいます。
日本人に特有の「縁」のつながり意識として
・家族や職場の理解ある環境に感謝して、日々を前向きに生きていきたい。
・人との出会いを感謝したい。
・愛他的な気持ちになれた。
・明日からまた息子と2人で頑張れそう。

その他の感想
・体の負担も少なく仕事の効率につながっていくのではと感じた。
・自分自身の考え方を振り返って整理できた。
・セルフコントロールだと感じた。
・時々深呼吸をして、リラックスしていきたい。
・五分間の瞑想を心掛けたい。

（詳細は、「大下大圓：それでも『海と生きる』—東日本大震災を体験した医療者の6年を経た証言から学ぶレジリエンス— 京都看護大学紀要・特別寄稿・二〇一八」を参照されたい）

◎災害被災者支援と臨床瞑想法 ② 新型コロナウイルスの影響下で

二〇一九年十二月頃からの中国・武漢を発生源とする新型コロナウイルスによる感染症は、WHOにより正式に「COVID-19」と命名され、瞬く間にパンデミック状況となり、中国から全世界に拡大した。

二〇二一年七月二四日現在の感染者数の総計は世界で一九三、一六五、六二二人、死亡者は四、一四三、一〇五人を数え（以上ジョンズ・ホプキンス大学集計データ）、日本での感感染者数は八六六、四二九人、死亡者数は一五、一三七人に達している（以上NHKまとめ）。また日本でのコロナワクチンの接種状況は二〇二一年七月二一日現在で一回目接種を受けた人四四、五八六、五〇六人（全人口に占める割合三五・〇七％）、同二回目二九、三八四、三八二人（同二三・一一%）となっているが（以上首相官邸情報）、蔓延防止に必須といわれているワクチンの効果や時を経た副反応については、検証が十分ではないという批判もある。

ちなみに、「COVID-19」に関する世界中の研究論文は、なんと三、〇七八、九九三本もの膨大な数に上っている（二〇二二年五月一日現在、京都大学図書館）。

こうした甚大な被害を及ぼす新型コロナウイルスによって大きなストレスを受け、うつや不安、不眠などに苦しむ人々は一般人から医療従事者、介護や福祉にかかわる人たちにも広がっていった。

著者は、阪神・淡路大震災や東日本大震災への支援活動を実施した経験から、新型コロナウイルスの影響を受ける人々への支援の必要性をいち早く感じ、自坊（飛騨千光寺）境内にある「バザラ・いのちのケア室」で二〇二〇年五月からカウンセリング活動を始めた。そして、五月にはチームを組んで「感染症と向き合うケアラーや患者・家族の思いを聴くサロン」を立ち上げ、無料相談を実施してきた。

サロンは「こころのケアの視点から、今回のコロナウイルスの現場ではたらく医療者やケアラー（介護・支援者）、実際に感染症に罹患した本人や家族と気軽に思いを語る場」として設営し、「医療の専門家・心理専門職・傾聴の有資格者が、医療や介護の現場でストレスフルになっているケアラーや、患者・家族の立場で心の内を話せずにいる方の悩みや愚痴を傾聴する支援活動」を目的とした。対象者のケアラーとは医療や介護機関で働くすべての人を指し、その業務、職種は問わなかった。

コロナウイルスに感染した患者本人からの「これから集中治療室に入ります。もし帰れなかったら…よろしくお願いします。」との涙ながらの訴えもあった。患者の家族からの相談では、入院した本人に会えないつらさが語られ、死別後の悲嘆感情から災害による死別に似たトラウマ的状況が生じていることがわかった。また医療者は、その責任感や職務義務から、なかなか本音を吐露できず苦しんでいることも判明した。

過酷な現場対応を強いられながらも弱音が吐けない現実には、個人の問題もあるが、日本特有の組織的な構造のマイナス面が見え隠れしている。弱い立場の人々が苦しむ構図は、いつも変わらないのである。

その後、二〇二〇年八月から九月にかけて、T市のA福祉法人からの依頼で、職員のメンタルケア、セルフケアを目的とした研修として〈臨床瞑想法〉を実施した。平日であるために七八名の職員を十二班に分け、一回二時間半のセッションを六～八人で実施した。職員の内訳は保育士六八名、看護師一名、調理師五名、バス運転手二名であった。

瞑想法実施後、アンケート質問用紙の回収をして分析したところ、瞑想研修実施前の参加者の気持ちとして、「どんな研修が始まるのか期待と不安が半々」、「瞑想が初めてで期待したい」、「宗教的で緊張している」「お説教されるのか、ドキドキ、ワクワク、不安」などといった声が聞かれ、瞑想体験者が少ないために、研修に対する不安が多くの参加者にあることが判った。

参加者の研修後の正直な気持ちは、左の回答に表れている。

①深い体験だった…………七一％
②だいたい深い体験だった…二一％
③まあまあ深い体験だった…〇、六％
④あまり～………………〇％
⑤まったく～……………〇％

というように、約九一％が瞑想によって、深いリラックス感や好意的反応に変化している。

記述式では

・頭も体もすっきりして軽くなった。
・リフレッシュできて、とても気持ちよかった。
・日々の疲れを忘れ、心がリセットされた感じ。
・身体が何となく軽くなり、感覚や気持ちも軽くなった感じがした。
・意外と簡単にできた。
・ふわっとした、無のような感じ、ニュートラルな状態、深い呼吸を意識した。

などと、心身の緩和や気持ちの解放に変化が報告された。これは**〈ゆるめる瞑想〉**の効果であると思われるが、**〈みつめる瞑想〉〈たかめる瞑想〉**への感想では、

・自分を見つめなおすいい時間だ。
・静の時間の大切さを仕事にも活かしていきたい。
・自分自身とむきあうことの必要性や大切さを改めて感じた。
・普段の生活の中に取り入れたい。

・寝る前に取り入れていきたい。
・自信が持てた、今後もやってみたい。

など、生活に瞑想を取り入れて、前向きに生きようとする発言が目立った。

このようにコロナ禍の中で、それぞれの企業や法人が、働く人の安定したメンタルヘルスを目指し、瞑想を取り入れた研修を行った意義は大きいといえよう。

（参照：大下大圓「パンデミックの状況下における瞑想の実践」人体科学会 Mind-Body Scienc 誌三一号、二〇二一）

◎企業人に対する臨床瞑想の応用

かつて著者がM県経済界主催の講演会に招かれた際、世話役をされていたA企業の社長から、「講演中で紹介された臨床瞑想法を当社の社員を対象に実施したい」との申し出を受け、遠方であったが何度か訪社して、講話や瞑想実践を行った。そのときの〈臨床瞑想法〉の成果の意義を、著者と会社が共有する目的で、当時の京都看護大学山本明弘教授と京都橘大学川村晃右講師とのご協力を得て、共同研究としてレポートを作成した。

それが「A機械製作会社の勤労者における瞑想の効果―JUMACLおよびSOCを用いた検討―」であり、この論文は「日本スピリチュアルケア学会二〇一九年版学会誌」に掲載されたが、ここでは〈臨床瞑想法〉の効果に関する部分のみを抜粋する。

A社の幹部との相談の結果、共有した瞑想研究の目的は「A機械製作会社勤労者における瞑想がもたらす精神的影響を心理学的指標により検証すること」であった。

瞑想の意識変化の検証には「日本語版UWIST気分チェックリスト（JUMACL）」と「日本語版首尾一貫感覚尺度（SOC）」を採用した。対象となった社員の有効回答数は全部で二一件であった。臨床瞑想法の種類としては**〈ゆるめる瞑想〉**と**〈たかめる瞑想〉**を用いた。

人を対象とするこのような研究には、倫理的配慮と大学の倫理委員会の承認が必要である。そこで、A社の社員に対しては事前研修の際に研究の趣旨や方法、その倫理的配慮の必要性について口頭と文章で説明し、賛同者のみを対象に〈臨床瞑想〉を実施した。

この場合の倫理的配慮とは「研究への協力は匿名であり任意である・調査への参加また不参加のいずれによる不利益も生じない・質問票は研究責任者のもとで厳重に管理され本研究以外の目的で使用しない・質問票は研究終了から十年間保存された後に細断処理される・配布された質問票に自由意思で回答し、また質問票の返却をもって研究協力への同意を得たものと理解する」とした。

また、本研究は京都看護大学研究倫理委員会の承認を得た（二〇一七年承認番号 201701-2）〈臨床瞑想〉の実習過程とその検証結果は左記のとおりである。

一、ゆるめる瞑想

①椅子または座布団などに静かに座り、眼を軽く閉じる。手の位置は組んでも広げてもかまわない。
②自分にとって気持ちが楽になる風景をイメージする（海・里山・小川・花畑など）。

③口から大きく長く息を吐き、鼻から無理なくゆっくりと息を吸い込む。この呼吸を七回以上、心が落ち着くまで繰り返す。背筋を伸ばして気の流れをしっかりと確認する。
④心の落ち着きを感じたら普通の呼吸に戻す。
⑤瞑想に入る。瞑想中は呼吸に意識を集中し、雑念や想念には抵抗せず自然に任せておく。
⑥あらかじめ決めておいた時間になったら、一回だけ大きく呼吸をして瞑想をやめる。
⑦ゆっくりと背伸びをしたり首を回したりして、心身の調和を図る。
⑧椅子や座布団を片付けて、瞑想が終焉したことを確認する。

二、たかめる瞑想

①ゆるめる瞑想の①から⑤までを行う。
⑥瞑想状態を維持しながら、身体全体に意識を集中して「アー、エー、イー、オー、ウー」と声を出す。はじめに「アー」を出し、順に音階を上げていく。音階は、自分の出せる音（低音・中音・高音など）で適宜に実施する（三分〜五分）。
※この発声訓練が自己の内面的なチャクラ（意識のツボ）を意識化し、五大（密教でいう地大・水大・火大・風大・空大）のエネルギーを高める。
※他の方法として、マントラや短いフレーズの歌などを活用してもよい。今回はマントラの替わりに「ありがとう」を繰り返し唱えた。
⑦発声を何度か繰り返した後に、その声にウェーブ（声による波）を加え、ゆったりしたリズムから、細かいリズムへと変化させて発声する。（二〜三分程度）。

⑧その後は声を出さずに自然な呼吸で瞑想を続ける。
⑨瞑想中は呼吸に意識を集中し、雑念や想念には抵抗せず自然に任せておく。
⑩あらかじめ決めておいた時間になったら、一回だけ大きく呼吸をして瞑想をやめる。
⑪ゆっくりと背伸びをしたり首を回したりして、心身の調和を図る。
⑫椅子や座布団を片付けて、瞑想が終焉したことを確認する。

【結　果】 P＝心理統計量の値に生じる確率

〈JUMACL〉（日本語版UWIST気分チェックリスト）

一、ゆるめる瞑想

・TA（緊張覚醒）〉

実施前＝二〇・五点、実施後＝一四・一点→有意差を認めた。（p＝0.001）。

・EA（エネルギー覚醒）〉

実施前＝二八・一点、実施後＝二四・四点→有意差を認めた。（p＝0.023）

二、たかめる瞑想

・TA（緊張覚醒）〉

実施前＝二〇・八点、実施後＝一四・七点→有意差を認めた。（p＝0.001）

・EA（エネルギー覚醒）〉

実施前＝二八・四点、実施後＝二六・六点→有意差を認めず。（p＝0.21）

〈SOC〉（日本語版首尾一貫感覚尺度）

一、ゆるめる瞑想

・有意味感

実施前＝一七・二点、実施後＝一七・三点→有意差を認めず。（p＝0.9）

・把握可能感

実施前＝一九・八点、実施後＝二〇・〇点→有意差を認めず。（p＝0.67）

・処理可能感

実施前＝一五・四点、実施後＝一六・三点→有意差を認めず。（p＝0.11）

・合計点

実施前＝五二・四点、実施後＝五三・六点→有意差を認めず。（p＝0.21）

二、たかめる瞑想

・有意味感

実施前＝一七・二点、実施後＝一七・六点→有意差を認めず。（p＝0.346）

・把握可能感

実施前＝一八・七点、実施後＝一九・四点→有意差を認めず。（p＝0.361）

・処理可能感

実施前＝一五・一点、実施後＝一六・〇点→有意差を認めず。（p＝0.125）

・合計点

実施前＝五〇・九点、実施後＝五三・〇点→有意差を認めず。（p＝0.16）

表.1 ゆるめる瞑想実施前と実施後との JUMACL 得点の比較

	実施前		実施後		
JUMACLE	平均	標準偏差	平均	標準偏差	p 値
緊張覚醒	20.5	5.2	14.1	4.1	0.001
エネルギー覚醒	28.1	5	24.4	5.4	0.023

n=20, t検定, 瞑想前vs. 瞑想後

表. 2 たかめる瞑想実施前と実施後との JUMACL 得点の比較

	実施前		実施後		
JUMACLE	平均	標準偏差	平均	標準偏差	p 値
緊張覚醒	20.8	5.3	14.7	4.5	0.001
エネルギー覚醒	28.4	5.2	26.6	5.3	0.21

n=17, t検定, 瞑想前vs. 瞑想後

表. 3 ゆるめる瞑想実施前と実施後とのSOC得点の比較

	実施前		実施後		
SOC13項目版	平均	標準偏差	平均	標準偏差	p 値
有意味感	17.2	3.7	17.3	3.6	0.9
把握可能感	19.8	5.2	20	5.3	0.67
処理可能感	15.4	3.9	16.3	2.8	0.11
合計	52.4	11.3	53.6	10.5	0.21

n=21, t 検定, 瞑想前vs. 瞑想後

表. 4 たかめる瞑想実施前と実施後とのSOC得点の比較

	実施前		実施後		
SOC13項目版	平均	標準偏差	平均	標準偏差	p 値
有意味感	17.2	4.2	17.6	4.1	0.346
把握可能感	18.7	4	19.4	4.8	0.361
処理可能感	15.1	3.7	16	3.6	0.125
合計	50.9	10.7	53	11.5	0.16

n=18, t 検定, 瞑想前 vs. 瞑想後

この研究をふまえ、短時間の〈ゆるめる瞑想〉と〈たかめる瞑想〉の効果を検討した。
①短時間の〈ゆるめる瞑想〉は、緊張覚醒およびエネルギー覚醒をともに抑制した。
②短時間の〈たかめる瞑想〉は、緊張覚醒を抑制するが、エネルギー覚醒には影響を及ぼさなかった。
③短時間の〈ゆるめる瞑想〉および〈たかめる瞑想〉は、首尾一貫感覚には影響を及ぼさなかった。
④短時間の瞑想実習には、リラクセーション効果のあることが示唆された

以上が、著者がリードして行った企業社員への臨床瞑想法の実践報告である。結果にもあるように、企業人では短期間の瞑想は、緊張緩和に有効であり、たかめる瞑想は、もう少し訓練と継続性が必要であることが示唆された。

（山本明弘、大下大圓、川村晃右「A機械製作会社の勤労者における短時間瞑想実習の精神的効果―JUMACL および SOC を用いた検討―」スピリチュアルケア研究二〇一九 Vol -3、日本スピリチュアルケア学会、九九〜一〇六頁・二〇一九）

実際に瞑想をしながら測定活動を行うには、参加者の心情への配慮が必要で、安易な測定では本来の研修の意義が損なわれてしまう可能性がある。披験者としてではなく、瞑想による心身のリラックスを積極的に求めていたり、自己の内面を省察したいと考えて参加している人も多いからである。つまり瞑想をする人にとっては、測定や研究がその目標ではないのである。したがって同じ職場内での同時瞑想は、同僚や上司の反応を気遣う場面

もあって、本来的には個人の瞑想力をたかめる日常の活動の中で実践されることが望ましいのである。

なお、この企業での瞑想研修にあたっては、二年間にわたる社員研修を通じて会社および社員諸氏との信頼関係を築いた上で、企業研修の一環として協力を頂いたものである。

◎医学研究：臨床瞑想法を認知症ケアに

このたび、和歌山県立医科大学教授・附属病院紀北分院分院長の廣西昌也医師の提出された医学研究計画書「臨床瞑想法を高齢者の認知機能障害に応用するための基礎研究」が二〇二一年度の日本学術振興会の科学研究費対象研究として採択された（科研費NO：21K07344）。

本研究計画で〈臨床瞑想法〉が研究のツールとして認められた意義は大きい。これにより臨床瞑想法などの瞑想療法が、認知症などのケアにどこまで有用であり、どのように応用できるかが解明され、そこからあらたな臨床ケア上のアイデアが創出されることが期待されるからである。

計画書によれば、瞑想療法が開発された場合には、左記のような多方面にわたる効能が期待される。

①高齢化による認知機能の低下によって生じた不安・焦燥・スティグマの改善と、認知

機能低下高齢者の幸福感の向上への寄与。
②認知機能低下高齢者の認知機能の改善と、増悪防止による生活機能の維持への貢献。
③認知症患者の心理行動症状（ＢＰＳＤ）の軽減による患者家族負担の軽減。
④ＢＰＳＤ軽減からもたらされる介護負担の改善による看護・介護施設への入所抑制と、看護・介護スタッフなどの人的資源の有効活用。
⑤認知機能低下患者に対する医師・医療関係者の対応方法に関する引き出しの増加。
また廣西教授は本研究の独自性・創造性として、仏教瞑想法についてこのような指摘をされている。
①日本の僧侶が日本人に受け入れやすい形で開発し、学術的な評価も行ってきた瞑想法を用い、瞑想療法の日本社会に適応した応用を目的としていること。
②瞑想の専門家である僧侶と共に研究を行い、また高野山大学との共同研究とすること。
著者は廣西教授のご厚意により、協力者としてこの研究に参画することになった。研究代表者の廣西教授の格別のご理解とご協力を得たので、ここにその研究概要を紹介したい。ただし、ここで紹介する日本学術振興会に提出された計画書のうち、廣西教授個人のこれまでの研究詳細や概念図などは省略したことをお断りする。

以下はすべて廣西教授の作成された文章である。なお、原文は横書きであるために一部数字などは、縦書きに変更してあるが、原文を尊重する意味で、英語表記などはそのまま横書きになっている部分もあることをご承知いただきたい。

◎医学研究計画書「臨床瞑想法を高齢者の認知機能障害に応用するための基礎研究」

（和歌山県立医科大学教授・附属病院紀北分院分院長　廣西昌也教授作成）

【研究の概要】

社会の高齢化に伴い、認知症者（person with dementia）や主観的認知機能障害者（SCI）や軽度認知障害者（MCI）が急増しているが、現時点で認知症に対する根治療法はない。認知症への対応は国家的な課題であり、薬物療法のみならず、統合医療も積極的に応用し、簡便で費用対効果の高い治療法・対応方法を開発すべきである。

瞑想は仏教における心身鍛錬法であったが、University of Massachusetts Medical SchoolのJon Kabat-Zinnらにより宗教性を除き西洋医学と統合させたかたちで広く応用され（マインドフルネス療法）、うつ病、不安症／不安障害、過食、PTSDなどへの良好な効果が数多く報告されている。

本研究においては、僧侶である大下大圓が京都大学での研究において開発した臨床瞑想法を用い、認知機能が低下した高齢者への応用の標準化と、安全性の評価、さらにどのタイプの認知機能低下に応用できるかの評価、さらに臨床瞑想の実施による認知機能や精神状態や不安などに対する効果、自律神経系や心理的ストレスに関する評価を行う。これらの科学的・客観的な基礎データに基づき、標準化された認知機能低下高齢者に対する臨床瞑想療法を用いて、無作為症例検討試験などさらにエビデンスの高い研究につなげる。

【本研究の学術的背景、学術的「問い」】

日本は高齢化により認知症患者が急増している（Dodge HH et al. Int J Alzheimers Dis. 2012：2012：956354）。2012年時点で高齢認知症者は四六二万人、有病率は約一五%とされ（厚生労働科学研究費補助金認知症対策総合研究事業：都市部における認知症有病率と認知症の生活機能障害への対応。平成二三年度～平成二四年度総合研究報告書：二〇一三）、アルツハイマー型認知症、レビー小体型認知症、血管型認知症などによる認知症はもちろん、認知機能の低下はあるが日常生活動作（ADL）には影響が最小限である軽度認知障害（MCI）や自覚的な記憶障害のみである主観的記憶障害（SCI）においても高齢者の生活活動のパフォーマンスや生活満足度、幸福感が低下し、さらに家族や地域社会の不安や経済的人員的介護負担につながる。しかし認知症に対する根治療法はなく、少数の薬剤は市販されているが効果は限定的である。この現状において薬物療法に限らず、統合医療などの方法を認知症患者に応用し、簡便で経費用対効果の高い治療法・対応方法を開発することで国民の健康福祉に大きく貢献できる。

瞑想は仏教における心身鍛錬法の一つであったが、University of Massachusetts Medical School の Jon Kabat-Zinn らにより宗教性を除き西洋医学と統合させた方法で広く応用され（マインドフルネス療法）（Ludwig S and Kabat-Zinn J. JAMA 300, 1350-1352, 二〇〇八）、うつ病、不安症/不安障害、過食、PTSD、線維筋痛症・多発硬化症・AIDS あるいは癌患者の心理療法、癌疼痛、アルコール依存、看護師や介護者の心理負担軽減などへの効能に関してひろく効果が報告されている。

認知機能低下患者においては基本的な認知機能低下状況に加え、不安や焦燥感、怒りなどがADLや生活満足度に大きな影響を与えている。高齢者はそもそも不安を伴いやすく(稲村。老年精神医学雑誌 29, 47-55, 二〇一八)、たとえば認知症患者において不安は六三、七%において認められた(今井ら。老年精神医学雑誌 29, 975979, 二〇一八)。不安や焦燥感、さらには認知機能への介入方法として瞑想療法が有望である可能性が高い。認知機能とマインドフル療法あるいは瞑想療法に関しては、アルツハイマー病、軽度認知障害(MCI)などに対して数種類の瞑想セッションが行われ、認知機能が改善した(Quintana-Hernandez DJ et al. J Alzheimers Dis 50, 217-232, 二〇一六)、脳機能検査で脳内の連結性が改善した(Wells RE et al. Neurosci Lett 556, 15-19, 二〇一三)、生活の質が改善した(Paller KA et al, Am J Alzheimers Dis Other Demen 30, 257-267, 二〇一五)、脳の volume が増えた(Smart CM et al. J Alzheimers Dis 52, 757-774, 二〇一六)などの効果を認めたなどの報告が多いが、認知機能は変化がみられなかったという報告もある(Wells RE et al. J Am Geriatr Soc 61, 642-5, 二〇一三)。

しかしながら諸外国に比べ日本における瞑想研究は非常に少なく、日本社会や日本人、あるいは日本の療養状況に合致した身近で簡便、また医学的根拠のある標準的な瞑想法を開発し、有害事象の有無の確認をあらためて確認の上(これまではほぼ有害事象はないと言われている)、科学的な根拠に基づいた、瞑想法の効果に関する情報発信を行っていく必要があると考えた。

本研究における瞑想法は、僧侶の大下大圓（研究協力者）によって開発された臨床瞑想法を用いる。大下は高野山およびスリランカの寺院で伝統瞑想を修得した後、日本各地で終末期患者や災害被災者への支援活動のなかで瞑想の有用性を経験したうえで、「臨床瞑想法」として宗教性を抑え、誰もが日常生活に取り入れられるよう簡略化および体系化を行った。大下は実践的な瞑想法として、「ゆるめる瞑想（緩和・集中瞑想）」「みつめる瞑想（観察・洞察瞑想）」「たかめる瞑想（生成・促進瞑想）」「ゆだねる瞑想（統合・融合瞑想）」の四つに分類し、山本らと共に、京都大学や名古屋大学の研究室で検証を行ってきた（臨床瞑想法、大下大圓、日本看護協会出版会、二〇一六）。研究代表者の廣西も大下の指導のもと瞑想指導の研修を行い、臨床瞑想指導者として院内での瞑想研修や患者指導に用いている。

適切な瞑想療法が開発された場合、患者には①高齢化さらに認知機能の低下によって生じた不安、焦燥、スティグマを改善し、認知機能低下高齢者の幸福感の向上に寄与できる。②認知機能低下高齢者の認知機能改善、増悪防止により、生活機能を維持に貢献できる。③認知症患者の心理行動症状（BPSD）を軽減することにより患者家族負担を軽減できる。国民・社会にはBPSD軽減による介護負担改善により、看護・介護施設の入所抑制が可能となり、看護・介護スタッフなど人的資源も有効に活用できる、医師・医療関係者には認知機能低下患者に対する対応に関して引き出しが増えるなど多方面の効能が期待される。

【本研究の目的および学術的独自性と創造性】

本研究開発の目的は以下のとおりである。
一、日本の認知機能低下高齢者に適切かつ標準的な瞑想療法を開発する。
二、認知機能低下高齢者における瞑想療法の安全性を確認する。
三、認知機能低下高齢者への瞑想療法の効果を評価するため、認知機能やADL、不安などのスケールによる心理的評価、自律神経機能やストレス反応に関する身体的評価を行う。
四、認知機能低下高齢者に対して安全性の確保された標準的瞑想法を市民向けにわかりやすく開示、情報提供を行う（書籍、DVD、YouTune動画など）。
五、高齢者はコロナ禍により外出機会が減っており、Webによる瞑想指導の教材も作成する。
六、病院、診療所、介護施設、地域施設などにおける定期的な瞑想実践の機会をつくる。
本研究の独自性、創造性として、
一、日本の僧侶が日本人に受け入れやすい形で開発し、学術的な評価も行ってきた瞑想法を用い、瞑想療法の日本社会に適応した応用を目的としていること
二、瞑想の専門家である僧侶とともに研究を行い、また高野山大学との共同研究とすることを挙げる。さらに本研究終了後は、標準的な瞑想法を用いた無作為対象症例研究を行い、高齢者認知症高齢者に対するさらに高いエビデンスに向けて検討を続けたい。
【応募者の研究遂行能力及び研究環境】
研究代表者である廣西昌也は、瞑想に関する研究は最近であるが、臨床瞑想法を開発し

た大下大圓と瞑想に関する研究を長年継続してきた共同研究者の山本とのディスカッションのなかで今回の応募となった。山本は前述のように〝認知症高齢者を介護する家族の健康維持を目的とした瞑想法の活用〟のタイトルで認知症者の家族を対象とした研究を開始している。認知症のこれまでの研究として、筋萎縮性側索硬化症（ALS）に関する疫学的研究、神経変性疾患に関する細胞死と画像的研究、パーキンソン病に関する研究、高齢化社会に向けた認知症の研究を行っており、近年は主に認知症関連の研究を開始し、本研究もその一環である。

廣西は神経内科専門医および認知症専門医として約五年にわたり和歌山県立医科大学（本院）の認知症疾患医療センターの診療と二〇一九年度からは和歌山県立医科大学紀北分院において認知症疾患医療センター長として、周辺地域より相当数（新患数五～十人／週）の認知機能低下患者の診療を行っており、十分な研究参加患者確保が見込まれる。

なお、瞑想指導のため大下大圓、浅田弘子に協力を依頼した。大下大圓は僧侶としての伝統的な多種の瞑想修行を行ったのち、安全で科学的な裏付けのある臨床瞑想法研究を京都大学、名古屋大学などで行い、多方面で活躍する日本の臨床瞑想の第一人者である。現在京都看護大学講師（非常勤）、名古屋大学医学部講師（非常勤）、岐阜厚生連看護学校講師、日本スピリチュアルケア学会理事、認定指導スピリチュアルケア師、NPO 法人日本ホスピス・在宅ケア研究会理事、NPO 法人日本スピリチュアルケアワーカー協会副会長、認定指導スピリチュアルケアワーカー、NPO 法人日本ホリステック医学協会理事、地球人ネットワーク飛騨代表、岐阜県音楽療法士などの多岐にわたる活動を行っている。研究協力者の浅田弘子は医師でもあり、大下大圓の指導を受けたのち、瞑想療法の指導者として精力的に活動を行っている。

森崎雅好は真言宗僧侶であり、スピリチュアルケア師、公認心理師、臨床心理士、臨床宗教師、スピリチュアルケア師などの資格を持ち、また二〇一〇年より和歌山県立医科大学附属病院紀北分院で緩和ケアに尽力している。今回は僧侶という視点と人文系研究者としての視点を本研究に活かすべく参加いただくこととなった（以上計画書の一部を掲載・著者記）

廣西教授と共に行う予定の本研究の結果報告も含め、臨床瞑想法の応用成果についてはいずれ機会を設けて発表し、広く医療関係者や僧侶方に周知していただきたいと願っている。その他、東京大学の研究者との共同研究として、護摩行中の行者と参詣者の脳内血流などを検出して「瞑想や祈り」との相関関係を調べる計画もある。また、沖縄で伝統的に行われている「ユタ・ノロなどの祈りと真言密教の祈りに同席する祈願者との相関関係の差異」に関する研究計画も進行中である。

このように伝統宗教で行われてきた〈瑜伽法〉の内実を医科学的知見で検証することは、科学一辺倒の思考から脱却して、コロナ禍などの現実的に起り得る日常生活上の艱難辛苦をのり越えるための、〈祈り〉の有用性の検証として提起したものである。

いずれにしても、さらなる地道な研究の成果を待たねばならない。

あとがき

本書の目的は、「即身成仏を現代の科学で解明する」ことと「その境地をめざす人を養成すること」にある。

三章で紹介したチベット仏教の最高指導者であるダライ・ラマ十四世法王は、一九八九年にノーベル平和賞を受賞されたが、この受賞は、法王の「世界平和やチベット宗教・文化の普及に対する貢献」が高く評価されたことによっている。

自ら生命の危機に遭遇し、亡命を余儀なくされるような過酷な体験を経てもなお、仏教者としての慈悲の心を以て世界の平和と安定を祈念する、このような法王の力強い姿勢に、著者は最大級の敬意と共感を抱いている。

しかも法王は、すでに一九八〇年代から「科学と仏教の対話」を提唱され、臨床心理学・精神医学・予防医学・教育等の各分野に貢献することを目的とした瞑想の科学的研究として「マインド・アンド・ライフ研究所」を創設されている。

（サイエンス・二〇一四）

筆者が長年携わってきた「臨床瞑想研究」もまた、このような法王の祈りの想いに呼応するものであり、そうした経緯もあって著者は、自坊千光寺境内に建設した「国際平和瞑想センター」を、新たに「ワールド・ハーモニー・メディテーションセンター」と命名した。

この名称には、戦争か平和かという単なる二極論ではなく、もっと高次のインテグラルな思考―すなわち、あらゆる領域における調和と統合をめざす理念を込めたつもりである。本書の主題である「即身成仏」も、究極的には「地球と宇宙の大調和と統合」をめざすものといえるのである。

様々な自然災害や国際問題の紛糾に加えて、コロナ禍の嵐の渦中で喘ぎながら、混沌と不安と閉塞感に翻弄されている現在ただいまの世界は、ウイルバーの言葉を借りれば、まさに「変動性と不確実性と曖昧性が増大する」世界であるといえよう。

しかしそれは同時に―これもウイルバーの言葉を借りるならば―こうした現代に生きる我々こそ「多面的で多層的、かつダイナミックで豊かな潜在的可能性を宿した」存在でもあることを、深く自覚する必要があるのではないだろうか。

そうした自覚と確信からどのような未来への道が開け、如何なる社会が形作られるにしても、すべての人々の心身の安寧を願い、その内奥から発動されるエネルギーによって齎《もたら》される、世界の恒久的調和と統合を祈り続けることが、密教徒に課せられた使命であることを、著者は信じて疑わない。

そうした願いと祈りが込められた自利の行を、世界に向けた利他の行へと転換させる具体的行動が、「瞑想瑜伽行」と「臨床瞑想法」の実践なのである。

これが本書に込められたライトモチーフである。

最後に本書の制作に関して、特にお世話になった方々への謝意を述べておきたい。まず味わい深い本書の題字は書家・渡邉美都女史にご揮毫いただいた。また国訳一切経の抽出および大正新脩大蔵経の私訳については、畏友である龍谷大学教授鍋島直樹師にご援助とご協力を賜った。さらに本書の企画・編集については、青山社の三宅満氏の助言と協力によるところが大きい。

お三方には、この場を借りて心より感謝の気持ちを表明するものである。

令和三（二〇二一）年　盛夏　玲瓏たる北アルプスを眺望して

大下大圓

◎大正新脩大蔵経引用経論一覧

＊本文に引用した『大正新脩大蔵経』（以下「大蔵経」）経論の原漢文を抜粋して掲載した。
丸囲みの数字は本文中の注記に対応している。頁数の下に記したａｂｃの記号は、上中下３段に分割された大蔵経各頁の本文レイアウトに対応して上段＝ａ 中段＝ｂ 下段＝ｃを示した。

【第一章】

〈大蔵経①〉『金剛峯樓閣一切瑜伽瑜祇經』（『大蔵経』第一八巻・二五四頁ａ）

盡以金剛自性清淨所成密嚴華嚴。以諸大悲行願圓滿。有情福智資糧之所成就。以五智光明。常住三世。無有暫息。平等智身。爾時普賢金剛手等十六大菩薩。從定而起遍照虚空。金剛自性成辦清淨光明。同聲以偈讃曰

大日金剛峯　微細住自然　光明常遍照　不壞清淨業

説此讃已。時金剛手菩薩。以右手五峯金剛。擲於虚空。寂然一體還住手中。

〈大蔵経②〉『大毘盧遮那成佛神變加持經卷第一』（『大蔵経』第一八巻・三頁ａ）

越世間三妄執。出世間心生。謂如是解唯蘊無我。根境界淹留修行。拔業煩惱株杌。無明種子生十二因縁。離建立宗等。如是湛寂。一切外道所不能知。先佛宣説。離一切過。

〈大蔵経③〉『大毘盧遮那成佛神變加持經略示七支念誦隨行法』（『大蔵経』第一八巻・一七五頁ｃ）

專注於等引。以此淨三業。悉地速現前。聖力所加持。行願相應故。諸有樂修習。隨師而受學。持明傳本教。無越三昧耶。勤策無間修。離蓋及熏醉。順行諸學處。悉地隨力成。我依大日經。略示瑜伽行。修證殊勝福。普潤諸有情。

【第三章】

〈大蔵経④〉『大毘盧遮那成佛神變加持經卷第一』（『大蔵経』第一八巻・一頁ｂ）

佛言菩提心爲因。悲爲根本。方便爲究竟。祕密主云何菩提。謂如實知自心。祕密主是阿耨多羅三藐三菩提。乃至彼法。少分無有可得。何以故。虚空相是菩提無知解者。亦無開曉。何以故。菩提無相故。祕密主諸法無相。謂虚空相。

〈大蔵経⑤〉『增壹阿含經卷第四十二』（『大蔵経』第二巻・七八〇頁ａ）

爾時世尊告諸比丘。其有修行十想者。便盡有漏獲通作證漸至涅槃。云何爲十。所謂白骨想。青瘀想。膖脹想。食不消想。血想。噉想。有常無常想。貪食想。死想。一切世間不可樂想。

〈大蔵経⑥〉『修習止觀坐禪法要』（『大蔵経』第四六巻・四六七頁ａ）

今明修止觀有二意。一者修止自有三種。一者繫縁守境止。（中略）二者制心止。所謂隨心所起。即便制之不令馳散。（中略）三者體眞止。所謂隨心所念。一切諸法悉知從因縁生。（中略）因縁無性即是實相。先了所觀之境一切皆空。能觀之心自然不起。前後之文多談此理。請自詳之。

〈大蔵経⑦〉『修習止觀坐禪法要』（『大蔵経』第四六巻・四六六頁ａ）

守風則散。守喘則結。守氣則勞。守息即定。坐時有風喘氣三相。是名不調而用心者。復爲心患。心亦難定。若欲調之當依三法。一者下著安心。二者寛放身體。三者想氣。遍毛孔出入通同無障。若細其心令息微微然。息調則衆患不生。其心易定。是名行者初入定時調息方法。擧要言之。不澁不滑是調息相也。

〈大蔵経⑧〉『摩訶止觀卷第一』（『大蔵経』第四六卷・一頁c）

圓頓者。初縁實相造境卽中無不眞實。繫縁法界一念法界。一色一香無非中道。己界及佛界衆生界亦然。陰入皆如無苦可捨。無明塵労卽是菩提無集可断。邊邪皆中正無道可修。生死卽涅槃無滅可証。無苦無集故無世間。無道無滅故無出世間。純一實相。實相外更無別法。法性寂然名止。寂而常照名觀。雖言初後無二無別。是名圓頓止觀。

〈大蔵経⑨〉『修習止觀坐禪法要』（『大蔵経』第四六卷・四六九頁c）

復次行者因修止觀故。若得身心澄淨。或發無常苦空無我不淨。世間可厭食不淨相。死離盡想。念佛法僧戒捨天。念處正勤如意根力覺道。空無相無作。六度諸波羅蜜神通變化等。一切法門發相。是中應廣分別。故經云。制心一處無事不辦。

〈大蔵経⑩〉『摩訶止觀卷第八上』（『大蔵経』第四六卷）

觀病爲五。一明病相。二病起因縁。三明治法。四損益。五明止觀。（一〇六頁b）

今約坐禪略示六治。一止。二気。三息。四假想。五觀心。六方術。（一〇八頁a）

〈大蔵経⑪〉『雜阿含釋經卷第二十二』（『大蔵経』第二卷・一五六頁c）

謂縁無明行。縁行識。縁識名色。縁名色六入處。縁六入處觸。縁觸受。縁受愛。縁愛取。縁取有。縁有生。縁生老死憂悲惱苦。如是純大苦聚集。如是無明滅則行滅。行滅則識滅。識滅則名色滅。名色滅則六入處滅。六入處滅則觸滅。觸滅則受滅。受滅則愛滅。愛滅則取滅。取滅則有滅。有滅則生滅。生滅則老死憂悲惱苦滅。

〈大蔵経⑫〉『成唯識論卷第十』（『大蔵経』第三一卷・五六頁a）

云何四智相應心品。一大圓鏡智相應心品。謂此心品離諸分別。（中略）二平等性智相應心品。謂此心品觀一切法自他有情悉皆平等。（中略）三妙觀察智相應心品。謂此心品善觀諸法自相共相無礙而轉。（中略）四成所作智相應心品。謂此心品爲欲利樂諸有情故。普於十方示現種種変化三業成本願力所應作事。如是四智相應心品雖各定有二十二法能變所變種現倶生。而智用增以智名顕。故此四品總攝佛地一切有為功徳皆盡。

〈大蔵経⑬〉『解深密經卷第二』（『大蔵経』第一六巻・六九三頁a）

謂諸法相略有三種。何等爲三。一者遍計所執相。二者依他起相。三者圓成實相。云何諸法遍計所執相。謂一切法名假安立自性差別。乃至爲令隨起言說。云何諸法依他起相。謂一切法縁生自性。則此有故彼有。此生故彼生。謂無明縁行。乃至招集純大苦蘊。云何諸法圓成實相。謂一切法平等眞如。

〈大蔵経⑭〉『大智度論卷第四十九』（『大蔵経』第二五巻・四一一頁a）

菩薩地者。歡喜地。離垢地。有光地。増曜地。難勝地。現在地。深入地。不動地。善根地。法雲地。此地相如十地經中廣說。

〈大蔵経⑮〉『大乘莊嚴經論卷第五』（『大蔵経』第三一巻・六一四頁a）

釋曰。彼能相復有五種學境。一能持。二所持。三鏡像。四明悟。五轉依。

〈大蔵経⑯〉『十八空論』（『大蔵経』第三一巻・八六三頁b）

問若爾既無自性不淨。亦應無有自性淨。云何分判法界非淨非不淨。答阿摩羅識是自性清淨心。但爲客塵所汚故名不淨。爲客塵盡故立爲淨。

〈大蔵経⑰〉『大乘莊嚴經論卷第六』（『大蔵経』第三一巻・六二三頁a）

偈曰。已説心性淨　而爲客塵染　不離心眞如　別有心性淨

釋曰。譬如水性自清而爲客垢所濁。如是心性自淨而爲客塵所染。此義已成。由是義故。不離心之眞如別有異心。謂依他相説爲自性清淨。此中應知。説心眞如名之爲心。即説此心爲自性清淨。此心即是阿摩羅識。已遮怖畏。次遮貪罪。

〈大蔵経⑱〉『華嚴經内章門等雜孔目章卷第一』（『大蔵経』第四五巻・五四三頁a）

謂心意識。三成八識。眼等五識意識末那識阿頼耶識。四成九識。謂加阿摩羅識。五成十心。謂十稠林。如地論云。是菩薩。如實知衆生諸心。種種相心。雜相心。輕生不生相心。無形相心。無邊一切處衆多相心。清淨相心。染不染相心。縛解相心。幻起相心。隨道生相。

〈大蔵経⑲〉『大方廣佛華嚴經卷第十六』（『大蔵経』第一〇巻・八四頁a）

爲增長佛智故。深入法界故。善了衆生界故。所入無礙故。所行無障故。得無等方便故。入一切智性故。覺一切法故。知一切根故。能持説一切法故。所謂。發起諸菩薩十種住。善男子。汝當承佛威神之力。而演此法。是時諸佛。即與法慧菩薩。無礙智無著智。無斷智無癡智。無異智無失智。無量智無勝智。無懈智無奪智。

〈大蔵経⑳〉『大方廣佛華嚴經卷第三十四』（『大蔵経』第一〇巻・一七九頁a）

爾時金剛藏菩薩。承佛神力。入菩薩大智慧光明三昧。入是三昧已。即時十方。各過十億佛刹微塵數世界外。各有十億佛刹微塵數諸佛。同名金剛藏。而現其前。作如是言。善哉善哉。金剛藏。乃能入是菩薩大智慧光明三昧。善男子。此是十方。各十億佛刹。微塵數諸佛。共加於汝。以毘盧遮那如來。應正等覺。本願力故。威神力故。亦是汝勝智力故。

〈大蔵経㉑〉『観無量壽佛經』（『大蔵経』第一二巻・三四一頁ｃ）
想於西方。云何作想。凡作想者。一切衆生。自非生盲。有目之徒。皆見日沒。當起想念。正坐西向。諦觀於日。令心堅住。專想不移。見日欲沒。狀如懸鼓。既見日已。閉目開目。皆令明了。是爲日想。名曰初觀。

〈大蔵経㉒〉『往生要集卷中』（『大蔵経』第八四巻・六八頁ｃ）
於此坐不運神通。悉見諸佛。悉聞所說。悉能受持者。常行三昧。於諸功徳最爲第一。此三昧。是諸佛母。佛眼佛父。無生大悲母。一切諸如來。從是二法生。

〈大蔵経㉓〉『阿字觀用心口決』（『大蔵経』第七七巻・四一五頁ａ）
此阿字有空有不生三義。空者森羅萬法皆無自性。是全空也。然依因縁假諦現。萬法歴然有之。（中略）空有全一體也。是云常住。常住則不生不滅也。是名阿字大空當體極理。然我等胸中此字觀。自然具足此三義。具此三義者。即大日法身也。入此觀門行者。雖初心生死輪迴永絶。行住坐臥無離皆是阿字觀也。易行易修。而速疾頓悟也。

〈大蔵経㉔〉『大毘盧遮那成佛經疏卷第七』（『大蔵経』第三九巻・六五一頁ｃ）
經云。謂阿字門一切諸法本不生故者。阿字是一切法教之本。凡最初開口之音皆有阿聲。若離阿聲則無一切言說。故爲衆聲之母。凡三界語言皆依於名。而名依於字。故悉曇阿字。亦爲衆字之母。當知阿字門眞實義。亦復如是。遍於一切法義之中也。（中略）如是觀察時則知本不生際。是萬法之本。（中略）若見本不生際者。即是如實知自心。如實知自心即是一切智智。故毘盧遮那。唯以此一字爲眞言也。

〈大蔵経㉕〉『中論巻第四』（『大蔵経』第三〇巻・三三頁ｂ）

諸法有定性。則無因果等諸事。如偈説

衆因縁生法　我説即是無　亦爲是假名　亦是中道義

未曾有一法　不從因縁生　是故一切法　無不是空者

衆因縁生法。我説即是空。何以故。衆縁具足和合而物生。是物屬衆因縁故無自性。無自性故空。空亦復空。但爲引導衆生故。以假名説。離有無二邊故名爲中道。是法無性故不得言有。亦無空故不得言無。

〈大蔵経㉖〉『佛頂尊勝心破地獄轉業障出三界秘密三身佛果三種悉地眞言儀軌一卷』

（『大蔵経』第一八巻・九一二頁ｃ）

五部眞言。是一切如來無生甘露之珍漿醍醐佛性之妙藥。一字入於五藏萬病不生。況修日觀月觀。卽時證佛身空寂。是阿鑁覽唅欠五字法身眞言。（中略）

阿金剛地部一（阿字作地觀金剛座觀。形四角色黄。大圓鏡智又名金剛智）

鑁金剛水部二（鑁字作水觀蓮華觀。形如滿月色白。妙觀察智。又名蓮華智亦転法輪智）

覽金剛火部三（覽字作日觀。形三角色赤。平等性智。亦名灌頂智）

唅金剛風部四（唅字作月觀。形如半月色黒。成所作智。亦名羯磨智）

欠金剛空部五（欠字作空觀。形如滿月色種々。法界性智）（中略）

方圓三角半月團形。地水火風空五大所成故。此率塔婆變成摩訶毘盧遮那如來。身色如月。首戴五佛冠。以妙紗縠天衣瓔珞莊嚴其身。光明普照十方法界。皆倚於月輪。四佛四波羅蜜十六八供四攝。賢刧千佛二十天。無量無邊菩薩以眷屬。

〈大蔵経㉗〉『十住心論巻第三』（『大蔵経』第七七巻・三二四頁ａ）
次明修定。定者梵云禪那。旧云思惟修亦云功徳林。新云静慮義翻爲定。謂於所觀境令心心所専注爲性。若云三昧耶此云等持。若云三摩地此云等至。若云三摩呬多此云等引。若云三摩鉢低三摩鉢帝此云均等。皆是定也。

〈大蔵経㉘〉『大毘盧遮那成佛神變加持巻第二』（『大蔵経』第一八巻・一〇頁ａ）
祕密主云何如來眞言道。謂加持此書寫文字。祕密主。如來無量百千倶胝那庾多劫。積集修行眞實諦語。四聖諦四念處。四神足十如來力。六波羅蜜七菩提寶。四梵住十八佛不共法。祕密主以要言之。諸如來一切智智。一切如來自福智力。自願智力。一切法界加持力。隨順衆生如其種類。開示眞言教法。云何眞言教法。謂阿字門一切諸法本不生故。（中略）眞言三昧門。圓滿一切願。所謂諸如來。不可思議果。具足衆勝願。眞言決定義。超越於三世。無垢同虚空。住不思議心。起作諸事業。到修行地者。授不思議果。是第一眞實。諸佛所開示。若知此法教。當得諸悉地。最勝眞實聲。眞言眞言相。行者諦思惟。當得不壞句。

〈大蔵経㉙〉『金剛頂經大瑜伽祕密心地法門義訣巻上』（『大蔵経』第三九巻・八一三頁ｂ）
祕密義者。薩怛梵者我入入我。護者喜躍也。蘇囉多者妙極也。三昧耶者等引也。謂等引入我入彼等喜躍妙極也。佛加持故智印印之。印如經説可解。

〈大蔵経㉚〉『行法肝葉抄巻中』（『大正大蔵経』第七八巻・八八五頁ｂ）
今入我我入彼二佛本質自性互相渉入。法性圓融全體相入故云云觀念本尊身渉入吾身等者。且擧身攝餘二。具可觀三密互相渉入。

〈大蔵経㉛〉『大日經開題』（『大蔵経』第五八巻・二頁a）

加持者。古云佛所護念又云加被。然未得委悉。加以往來涉入爲名。持以攝而不散立義。即入我我入是也。阿等六字者法界之體性。四種法身十界依正皆是所造之相。六字則能造之體。能造阿等遍法界而相應。所造依正比帝網而無礙。雖此不往彼不來。然猶法爾瑜伽故無能所而能所。故頌曰

六大無礙常瑜伽　四種曼荼各不離
三密加持速疾顯　重重帝網名即身
法然具足薩般若　心數心王過刹塵
各具五智無際智　圓鏡力故實覺智

〈大蔵経㉜〉『両部大法相承師資付法記巻下』（『大蔵経』五一巻・七八五頁a）

四種念誦。一聲念誦。二語念誦（亦名金剛念誦。謂舌端微動唇齒合）三三摩地念誦（謂住定與觀智相應）四勝義念誦（思第一義諦。如久之理）四種求願法（謂息災增益降伏敬愛并攝召成五）又瑜伽經中明四種眼（如經説）四種座法（如經説）

〈大蔵経㉝〉『金剛頂瑜伽金剛薩埵五秘密修行念誦儀軌』（『大蔵経』第二〇巻・五三五頁c）

此大金剛薩埵五密瑜伽法門。於四時行住坐臥四儀之中。無間作意修習。於見聞覺知境界。人法二執悉皆平等。現生證得初地。漸次昇進。由修五密。於涅槃生死不染不著。於無邊五趣生死。廣作利樂。分身百億。遊諸趣中成就有情。令證金剛薩埵位。

〈大蔵経㉞〉『金剛頂一切如來眞實攝大乘現證大教王經巻上』（『大蔵経』第一八巻・二〇七頁c）

如是説已。一切如來異口同音。告彼菩薩言。善男子當住觀察自三摩地。以自性成就眞言。自恣而誦。

唵質多鉢囉底微騰迦嚕弭

時菩薩。白一切如來言。世尊如來我遍知已。我見自心形如月輪。一切如來咸告言。善男子心自性光明。猶如遍修功用。隨作隨獲。亦如素衣染色。隨染隨成。時一切如來。爲令自性光明心智豐盛故。復勅彼菩薩言。

唵菩提質多畝怛波娜夜弭

以此性成就眞言。令發菩提心。時彼菩薩。復從一切如來承旨。發菩提心已。作是言。如彼月輪形。我亦如月輪形見。一切如來告言。汝已發一切如來普賢心。獲得齊等。金剛堅固善住此一切如來普賢發心。於自心月輪。思惟金剛形。以此眞言。

唵底瑟姹嚩日囉

菩薩白言。世尊如來我見月輪中金剛。一切如來咸告言。令堅固一切如來普賢心金剛。以此眞言。

唵嚩日羅怛麽句唅

所有遍滿一切虛空界。一切如來身口心金剛界。以一切如來加持。悉入於薩埵金剛。則一切如來。於一切義成就菩薩摩訶薩。以金剛名。號金剛界。金剛界灌頂。時金剛界菩薩摩訶薩。白彼一切如來言。世尊如來我見一切如來爲自身一切如來復告言。是故摩訶薩。一切薩埵金剛。具一切形成就。觀自身佛形。以此自性成就眞言。隨意而誦。

唵也他薩婆怛他誐多薩怛他唅

作是言已。金剛界菩薩摩訶薩。現證自身如來。盡禮一切如來已。白言。唯願世尊諸如來。

加持於我。令此現證菩提堅固。作是語已。一切如來入金剛界如來彼薩埵金剛中。時世尊金剛界如來。當彼刹那頃。現證等覺一切如來平等智。入一切如來平等智三昧耶。證一切如來法平等智自性清淨。則成一切如來平等自性光明智藏。如來應供正遍知。

〈大蔵経㉟〉『金剛頂經瑜伽十八會指歸一卷』（『大蔵経』第一八巻・二八四頁c）

一切義成就。表四智印。於初品中有六曼荼羅。所謂金剛界大曼荼羅。并説毘盧遮那佛受用身。以五相現成等正覺（五相者所謂通達本心修菩提心成金剛心證金剛身佛身圓滿此則五智通達）成佛後。以金剛三摩地。現發生三十七智廣説曼荼羅儀則。

〈大蔵経㊱〉『大樂金剛不空眞實三摩耶經』（『大蔵経』第八巻・七八六頁a）

菩薩勝慧者　乃至盡生死　恒作衆生利　而不趣涅槃　般若及方便　智度悉加持
諸法及諸有　一切皆清淨　慾等調世間　令得淨除故　有頂及惡趣　調伏盡諸有
如蓮體本染　不爲垢所染　諸慾性亦然　不染利群生　大慾得清淨　大安樂富饒
三界得自在　能作堅固利

金剛手。若有聞此本初般若理趣。日日晨朝或誦或聽。彼獲一切安樂悦意。大樂金剛不空三昧耶究竟悉地。現世獲得一切法自在悦樂。以十六大菩薩生。得於如來執金剛位。

◎引用文献一覧

【第一章】
1：『弘法大師伝』総本山金剛峯寺弘法大師御入定千五百年御遠忌大法會事務局・三二六頁・一九八一
2：『弘法大師著作全集』第三巻・勝又俊教・山喜房佛書林・三六四頁・一九七四
3：『空海入門―本源への回帰』高木訷元・法蔵館・七八頁・一九九六
4：『訳注即身成仏義』松長有慶・春秋社・二〇一九
5：『大日経住心品講讃』松長有慶・大法輪閣・二三二頁・二〇一〇
6：『弘法大師全集』第一輯・密教文化研究所・五〇七頁
7：同右・五一一頁
8：同右・五一二頁
9：同右・第三輯・五三三頁
10：同右・第二輯・三四頁
11：同右・第二輯・二三四頁

【第二章】
1：『スピリチュアリティとはなにか』尾崎真奈美／奥健夫・ナカニシヤ出版・二〇〇七
2：『弘法大師全集』第一輯・五〇七頁
3：『死の向こう側』三上直子・サラ企画・一二八頁・二〇一八

【第三章】
1：『加持力の世界』三井英光・東方出版・一三頁・一九八五
2：『弘法大師著作全集』第二巻・一四九頁
3：『大日経住心品講讃』松長有慶・大法輪閣・一三三頁・二〇一〇

4：同右・一六二頁
5：『南伝大蔵経』第六三巻「清浄道論」二・大蔵出版・一三四〜一三五頁
6：『パーリ仏典3：長部大篇二』「大般涅槃経」片山一良訳・大蔵出版・二〇一頁
7：『ACP：人生会議でこころのケア』大下大圓・ビッグネットプレス・二九九頁・二〇二〇
8：『南伝大蔵経』第六三巻一七五頁
9：『ヨーガの思想』山下博司・講談社・二三頁・二〇〇九
10：『古代インドの神秘思想』服部正明・講談社・四六頁・一九七九
11：『ヨーガの宗教理念』佐保田鶴治・平河出版・二一三頁・一九七一
12：『解説ヨーガ・スートラ』佐保田鶴治・平河出版社・一一二頁・一九七五
13：『古代インドの神秘思想』九九頁
14：『解説ヨーガ・スートラ』一一三頁
15：『ヨーガの思想』一二七頁
16：『解説ヨーガスートラ』一八〇頁
17：『弘法大師著作全集』第一巻・三七二頁
18：『真理の花たば・法句経』宮坂宥勝・筑摩書房・二五八頁〜・二九六頁・一九七四
19：『南伝大蔵経』第六二巻・大蔵出版・一頁
20：同右・第六二巻・一七二頁
21：同右・第一五巻・一二八頁
22：同右・第一六巻・七八頁
23：同右・第一六巻・三五八頁
24：『パーリ仏典5・中部後分五十経篇Ⅰ』片山一良訳・大蔵出版・三一六頁
25：『南伝大蔵経』第九巻「念處経」大蔵出版・一〇一頁

26：『パーリ仏典4・長部大篇Ⅱ』片山一良訳・大蔵出版・二一〇頁・二六〇頁
27：『摩訶止観・上』関口真大校注・岩波文庫・一三〇頁・一九八九
28：同右・二八六頁
29：『天台小止観』関口真大校注・岩波文庫・七五頁・二〇一八
30：『摩訶止観・上』二四頁
31：『天台小止観』一三七頁
32：『摩訶止観・上』二七八頁
33：『摩訶止観・下』一八三頁
34：同右・一九一頁
35：同右・一九九頁
36：『気流れる身体』石田秀実・平河出版・九八頁・一九八七
37：『獨習巴利語文法』長井眞琴・山喜房佛書林・一〇〇頁・一九六八
38：『南伝大蔵経』第一三巻・大蔵出版・二頁
39：『初期瑜伽行派の思想：唯識と瑜伽行』高橋晃一・春秋社・八六頁・二〇一二
40：「人間の主体と主体的自我」北村晴朗・東北福祉大学紀要・五七頁・一九九八
41「菩薩の十地について－『法門備忘録』と『二巻本訳語釈』の語釈を中心に」石川美恵・東洋文庫・
二一二頁・一九九三
42：『唯識と瑜伽行』春秋社・所収論文「瑜伽行の実践」デレアヌ・フロリン・一六九頁
43：『インド後期密教』松長有慶・春秋社・四四頁・二〇〇五
44：『チベット・メディテーション』K・マクドナルド著／ペマ・ギャルポ・鹿子木大士郎訳・日中出版
45：『密教瞑想法―密教ヨーガ・阿字観』山崎泰廣・永田文昌堂・一一五頁・一九七六
46：『チベット密教の瞑想法』ナムカイ・ノルブ／中沢哲訳・法蔵館・一一頁～・二〇〇六

47：同右・一九頁～
48：同右・八八頁
49：同右・五五頁～
50：同右・二二九頁
51：同右・二二七頁
52：『弘法大師著作全集』第一巻・七八頁
53：『チベット密教の瞑想法』ナムカイ・ノルブ／二三三頁
54：『真言密教阿字観瞑想入門』山崎泰廣・春秋社・八〇頁・二〇〇三
55：『弘法大師著作全集』第一巻・三三七頁
56：『弘法大師著作全集』第二巻・一九〇頁
57：『弘法大師全集』第二輯・一三頁
58：『中院流三十三尊法次第』中川善教・親王院・一九七八
59：『中院流諸尊通用次第撮要』中川善教・親王院・二一七頁・一九八九
60：『弘法大師著作全集』第二巻・六五二頁
61：『高野山学修灌頂並びに勧学会記』大山公淳・大山教授記念出版会・一〇頁・一九三一
62：『弘法大師全集』第一輯・四七一頁
63：『弘法大師著作全集』第三巻・三九八頁
64：『高木訷元博士古稀記念論集／仏教文化の諸相』所収の論文
乾仁志「五相成身観の基礎にある自性清浄心」山喜房佛書林・三三〇頁・二〇〇〇
65：『弘法大師全集』第一輯・五一二頁
66：『弘法大師著作全集』第一巻・五五二頁
67：『講説理趣経』宮坂宥勝・四季社・七七～七九頁・二〇一〇

【第四章】

1：京都大学図書館機構 ArticleSearch・二〇二一年四月二五日現在

2：○Iwakuma M, Nakayama,T, Oshita D and Yamamoto A.:Short-Term Loosen Up Meditation Induced EEG and Autonomic Response in Healthy Japanese Students, *Journal of Alternative Medical Research*, Alt Med Res 2(1):113. Vol. 2.4000113,2016.

○Daien OSHITA,Miho IWAKUMA,Koji HATTORI:A Buddhist-based meditation practice for care and healing: *International Journal of Nursing Practic*. 19 (Suppl.2), 15-23, 2013.

○Miho Iwakuma, PhD . Daien Oshita . Akihiro Yamamoto, Yuka Urushibara-Miyachi, : Effects of Breathing-Based Meditation on Earthquake-Affected Health Professionals, *Holistic Nursing Practice*: May/June-V31, (3) 177-182, 2017.

○山本明弘・岩隈美穂・大下大圓「二日間の瞑想講習会が瞑想初級者の気分および首尾一貫感覚へ及ぼす影響―Sense of coherence scale および temporary mood scale を用いた検討」日本保健医療行動科学会雑誌・第三一巻・第二号・六一～六九頁・二〇一六

○山本明弘、大下大圓、川村晃右「A機械製作会社の勤労者における短時間瞑想実習の精神的効果―JUMACL および SOC を用いた検討―」スピリチュアルケア研究・Vol-3・日本スピリチュアルケア学会・九九頁～・二〇一九

3：平井富雄『座禅の科学』講談社・一一九頁・二二五頁・一九八二

4：ロバート・キース・ワレス『瞑想の生理学』児玉和夫訳・日経サイエンス社・三七頁・一九九一

5：同右・三五頁

6：同右・六四～六五頁

7：藤野正寛「心のプロセスと瞑想のプロセスのモデル化の試み―目的を持たないマインドフルネス瞑想を目指して：鎌田東二編身心変容の科学①瞑想の科学」サンガ・二二九～二三〇頁・二〇一七

8：乾泰宏・河野貴美子「体外離脱体験中の脳波変化の測定」Journal of International Society of LifeInformation Science，一八三〜一八七頁・二十八巻・一号

9：Zeidan F, Emerson NM, Farris SR, Ray JN, Jung Y, McHaffie JG, Coghill RC: Mindfulness meditation-based pain relief employs different neural mechanisms than placebo and sham mindfulness meditation-induced analgesia, *J Neurosci*, 35 (46), 15307-15325, 2015

10：Lazar, SW. Kerr, CE. Wasserman, RH. et al: Meditation experience is associated with increased cortical thickness, *NeuroReport* 16: 1893-1897, 2005

11：Avdesh Sharma. Sujatha D. Sharma. Meditetion: The future of medication?: Spirituality & mental health, Teachers college record. 108 (9): *Indian phychiatric society in association with medical wing, R.E.R.F*, 575-579, 2006

12：Avdesh Sharma. Sujatha D. Sharma. Meditetion: The future of medication?. *Indian phychiatric society in association with medical wing, R.E.R.F*, 573-574, 2009

13：シュー・ウォルロンド＝スキナー『心理療法事典』森岡正芳・藤見幸雄ほか訳・青土社・一七七頁・一九九九

14：Tomljenović H, Begić D, Maštrović Z.: Changes in trait brainwave power and coherence, state and trait anxiety after three-month transcendental meditation practice. *Psychiatr Danub*. Mar; 28 (1), 63-72. 2016

15：Walton KG, Pugh ND, Gelderloos P, et al.: Stress reduction and preventing hypertension: preliminary support for a psycho euroendocrine mechanism. *J Altern Complement Med*. Fall; 1 (3), 263-283, 1995

16：有田秀穂『「脳の疲れ」がとれる生活術』PHP研究所・一〇六頁・二〇一二

17：高橋徳『人は愛することで健康になれる』知道出版・一五九頁・一六七頁・二〇一四

18：C・G・ユング『東洋的瞑想の心理学』湯浅泰雄・黒木幹夫訳・創元社・二四三頁・一九八三

19：『現代心理学〔理論〕辞典』朝倉出版・七八五頁・二〇〇二
20：同右・一三〇頁
21：安藤治『福祉心理学のこころみ』ミネルヴァ書房・六七頁・一八〇頁・二〇〇三
22：安藤治『心理療法としての仏教』法蔵館・四二〜四六頁・二〇〇三
23：石川勇一『スピリット・センタード・セラピー』せせらぎ出版・十六頁・二〇一四
24：江口重幸・多賀茂編『医療環境を変える―制度を使った精神療法の実践と思想』京都大学出版・三二九〜三四一頁・二〇〇八
25：氏原寛・成田善弘『カウンセリングと精神療法』臨床心理学1・培風館・二〇頁・一九九九
26：同右・二四頁
27：馬場謙一『精神科臨床と精神療法』弘文堂・三四〇頁・一九七八
28：大西守ほか『精神療法マニュアル』朝倉書店・一一頁・一九九七
29：ハンス、ヘルムート・デッカー『音楽療法事典』阪上正巳ほか訳・人間と歴史社・四九六〜四九七頁・一九九九
30：M・A・ウエスト『瞑想の心理学』川島書店・春木豊・清水義治・水谷寛監訳・三二頁・一九九一
31：安藤治『瞑想の精神医学』春秋社・二一三〜二三二頁・一九九三
32：三上八郎「代替医療の法的問題」南山堂・治療八四巻（一）・一一七〜一二六頁・二〇〇二
33：A・グルーゲンヴィル・グレイグ／樋口和彦『心理療法の光と影（ユング心理学選書②）』創元社・安渓真一訳・一三二〜一六七頁・一九八一
34：M・A・ウエスト『瞑想の心理学』春木豊・清水義治・水谷寛監訳・川島書店・二〇二〜二〇三頁・一九九一
35：阿岸鉄三『科学的医療と非科学的医療の統合』金原出版・一六六頁・二〇〇九
36：Avdesh Sharma. Sujatha D.Sharma. Meditetion:The future of medication ?

Indian phychiatric society in association with medical wing, R.E.R.F, 572-575, 2009

37：今西二郎『補完・代替療法とスピリチュアリティ医学の歩み』金芳堂・Vol 二二六・一六九～一七二頁・二〇〇九

38：阿岸鉄三『科学的医療と非科学的医療の統合』金原出版一九一～二〇四頁・二〇〇九

39：今西二郎『代替、補完医療・統合医療』金芳堂・一九頁・二〇〇八

40：石井朝子・貝谷久宣・熊野宏昭編『弁証的行動療法：マインドフルネス・瞑想・坐禅の脳科学と精神療法』新興医学出版社・七五頁・二〇〇七

41：マーシャ・リハネン『弁証法的行動療法実践マニュアル』金剛出版・小野和哉監訳・一四～二二頁・二〇〇九

42：同右・一四四頁

43：石井朝子・貝谷久宣・熊野宏昭編『弁証的行動療法：マインドフルネス・瞑想・坐禅の脳科学と精神療法』新興医学出版社・七八頁・二〇〇七

44：同前・八五頁・二〇〇七

45：宮川三樹夫「スピリチュアルペインに対するマインドフルネス瞑想の有用性についての検討・考察」第14回日本緩和医療学会学術大会・一八七頁・二〇〇九

46：Daien OSHITA, Miho IWAKUMA, Koji HATTORI: A Buddhist-based meditation practice for care and healing: An introduction and application, *International Journal of Nursing Practic*, 19, 15-23, 2013

47：河合隼雄『心理療法序説』岩波書店・一二六～一二八頁・一九九五

48：NHK：http://www.nhk.or.jp/special/stress/02.html（参照日：令和二年三月一五日）

49：ジョン・カバットジン「マインドフルネスを医療現場に活かすキーパーソン：Canccer Board, S」医学書院 vol.4,no1・八九頁・二〇一八

50：http://mindfulness.jp.net/concept.html

51：Chiesa, A. et al. :Mindfulness-Based stress reduction for stress management in healthy people. 593-600, *J Altern Complement Med*, 15 (5), 2009

52：Shaheen E Lakhan; Kerry L Schofield : Mindfulness - Based Therapies in the Treatment of Somatization Disorders: A Systematic Review and Meta - Analysis, *PLoS One*, Vol 8, No 8, 2013

53：Jacobs TL, Epel ES, Lin J, et al., Intensive meditation training,immune cell telomerase activity,and psychological mediators,*International Society of Psychoneuroendocrinology*, 664-681, 36 (5), 2001

54：Hayes, Steven C.; Luoma, Jason B.; Bond, Frank W.; Masuda, Akihiko; Lillis, Jason. 〝Acceptance and Commitment Therapy: Model, processes and outcomes〟. *Behaviour Research and Therapy*, 44 (1): 125. 2006.

55：林紀行『マインドフルネスとエビデンス』人間福祉学研究 第7巻第1号・六三～七八頁・二〇一四

56：林紀行『心身変容の科学ーマインドフルネスの科学：鎌田東二編身心変容の科学①瞑想の科学』サンガ一九三頁・二〇一七

57：越川房子「マインドフルネス認知療法」日本森田療法学会誌第二二巻・一一・二〇一一

58：越川房子・近藤育代「マインドフルネスを中核とするプログラム」科学評論社精神科第三〇巻第四号・一九九～二三〇頁・二〇一七

59：牟田季純・越川房子『身体状態の「意味づけ」としての情動ー相互作用認知サブシステムとマインドフルネス』Cognitive Studies, 二五（一）七七～七九頁・二〇一九

60：マーク・ウイリアム他『うつのためのマインドフルネス実践ー慢性的な不幸感からの解放』越川房子ほか訳・星和書店・六〇頁・二〇一二

61：同右・七〇頁

62：越川房子「マインドフルネス認知療法」日本森田療法学会雑誌・第二二巻一号・一一頁・二〇一一

63：同右・一五頁

64：Matthieu Ricard/ Antoine Lutz/ Richard J.Davidson　Mind of the Meditator *SCIENTIIFIC AMERICAN* November 2014

65：川野泰周『日本仏教心理学会誌』第十号・二〇一九

66：ティム・デズモンド、中島美鈴訳『セルフ・コンパッションのやさしい実践ワークブック』星和書店・三頁・二〇一八

67：多屋頼俊・横超慧日・舟橋一哉編『仏教学辞典』法蔵館刊・二〇〇〇

68：ティム・デズモンド、中島美鈴訳『セルフ・コンパッションのやさしい実践ワークブック』星和書店・三頁・二〇一八

69：同右・一六～一七頁・二〇一八

70：Bernhardt BC, et al. : Structural covariance networks of the dorsal anterior insula predict females' individual differences in empathic responding. *Cereb Cortex.* 24 (8). 2189 - 2198. 2014

71：Miho Iwakuma, PhD . Daien Oshita . Akihiro Yamamoto, Yuka Urushibara - Miyachi, : Effects of Breathing-Based Meditation on Earthquake-Affected Health Professionals, *Holistic Nursing Practice* : May / June -V31, (3) 177 - 182, 2017.

72：Sephton SE, Koopman C, Schaal M, Thoresen C, Spiegel D. Spiritual expression and immune status in women with metastatic breast cancer: an exploratory study. *Breast J.* 7345 - 353, 2001

73：Olver, Ian N., and Andrew Dutney. '*A Randomized, Blinded Study of the Impact of Intercessory Prayer on Spiritual Well-being in Patients with Cancer*', *Alternative Therapies in Health and Medicine*, vol. 18, no. 5, 18 - 27, 2012

74：ラリー・ドッシー『祈る心は治る力』日本教文社刊・大塚晃志郎訳・二〇〇三

75：津谷喜一郎、正木朋也『エビデンスに基づく医療（ＥＢＭ）の系譜と方向性 保健医療評価に果たすコクラン共同計画の役割と未来』日本評価研究・第六巻第1号・三〜二十頁・二〇〇六
76：Sephton SE, Koopman C, Schaal M, Thoresen C, Spiegel D. Spiritual expression and immune status in women with metastatic breast cancer: an exploratory study. *Breast J*,345 - 353.2001.
77：エドワード・ホフマン『マズローの人間論―未来に贈る人間主義心理学者のエッセイ』上田吉一・町田哲司共訳・ナカニシヤ出版・二〇〇二
78：石川勇一『スピリット・センタード・セラピー―瞑想意識による援助と悟り』せせらぎ出版一六頁・二〇一四
79：尾崎真奈美・奥健夫編「スピリチュアリティーとは何か―哲学・心理学・宗教学・舞踊学・医学・物理学それぞれの視点から」ナカニシヤ出版・十頁・二〇〇七
80：ケン・ウイルバー：吉福伸逸訳「無境界」平河出版・一〇七頁・二〇〇二
81：勝又俊教『弘法大師著作全集』山喜房佛書林・第一巻・五〇頁・一九六八
82：同右・五五二頁
83：『弘法大師全集』第一輯・四二〇頁
84：勝又俊教『弘法大師著作全集』第一巻・二〇六頁
85：松長有慶『訳注秘蔵宝鑰』春秋社・三一一〜三一三頁・二〇一八
86：佐藤勝彦「量子論を楽しむ本」 ＰＨＰ研究所・二〇〇〇年
87：竹内薫『超ひも理論とは何か』講談社・一二三〜一二八頁・二〇〇四／二〇一八
88：ケン・ウイルバー「インテグラル心理学」日本能率協会マネージメントセンター・門林奨訳・七二頁・二〇二一
89：同右・二〇三〜二〇五頁
90：鎌田東二『心身変容と医療／表現〜近代と伝統』日本能率協会マネージメントセンター四六〜四七頁・二〇二一

【参考文献】

『弘法大師空海全集』同編輯委員会（筑摩書房）
『弘法大師諸弟子全集』長谷宝秀（大学堂書店）
『弘法大師伝記集覧』三浦章夫（密教文化研究所）
『文化史より見たる弘法大師伝』守山聖真（国書刊行会）
『弘法大師伝』蓮生観善（高野山金剛峯寺）
『弘法大師影像図考』水原堯栄（丙午出版社）
『弘法大師の入定観』森田龍僊（藤井左兵衛）
『高野の三大寶』森田龍僊（臨川書店）
『大師尊像について』高見寛恭（成福院）
『沙門空海』渡辺照宏・宮坂宥勝（筑摩書房）
『弘法大師空海伝』加藤精一（春秋社）
『空海入門―本源への回帰』高木訷元（法蔵館）
『空海の座標　存在とコトバの深秘学』高木訷元（慶応義塾大学出版会）
『空海　還源への歩み』高木訷元（春秋社）
『空海と最澄の手紙』高木訷元（宝蔵館）
『空海―生涯と思想』宮坂宥勝（筑摩書房）
『興教大師撰述集』宮坂宥勝（山喜房仏書林）
『密教』松長有慶（岩波新書）
『密教の哲学』金岡秀友（講談社学術文庫）
『密教福祉 Vol1』高木訷元ほか（密教福祉研究会編）
『ブッダのことば』中村元訳（岩波書店）
『ブッダ最後の旅―大パリニッパーナ経』中村元訳（岩波書店）

〈参考文献一覧〉

『涅槃経』を読む── ブッダ臨終の説法』田上太秀（講談社）
『量子論を楽しむ本』佐藤勝彦（ＰＨＰ研究所）
『チャクラ・異次元への接点』本山博（宗教心理学研究所）
『現代心理学〔理論〕辞典』中島義明編（朝倉出版刊）
『発達心理学への招待』矢野喜夫・落合正行（サイエンス社）
『がんでもなぜか長生きする人の「心」の共通点』保坂隆（朝日新聞出版刊）
『東洋的瞑想の心理学（ユング心理学選書５）』ユング／湯浅泰雄・黒木幹夫訳（創元社）
『ヒューマンファーストのこころの治療』榎本稔（幻冬舎メディアコンサルティング）
『修行の心理学』石川勇一（コスモスライブラリー）
『セロトニン脳・健康法』有田秀穂ほか（講談社）
『ケアを問いなおす─「深層の時間」と高齢化社会』広井良典（ちくま新書）
『瞑想の生理学』ロバート・キース・ワレス／児玉和夫訳（日経サイエンス社）
『健康の謎を解く』アーロン・アントノフスキー／山崎喜比古・吉井清子監訳（有信堂高文社）
『燃えつき症候群─医師・看護婦・教師のメンタル・ヘルス』土居健郎監修（金剛出版）
『アドラー心理学入門』岸見一郎（ベストセラーズ・ベスト新書）
『仏教とアドラー心理学』岡野守也（佼成出版社）
『祈る心は治る力』ラリー・ドッシー、大塚晃志郎訳（日本教文社刊）
『インティマシーとあるいはインテグリティー』トマス・カスリス／衣笠正晃訳（法政大学出版）
『シャルトル・ラビリンスを歩く』ローレン アートレス／リチャード ガードナー監修（上智大学出版）
『スピリチュアリティ教育のすすめ』飯田史彦・吉田武彦共著（ＰＨＰ研究所刊）
『ストレス対処能力ＳＯＣ』山崎喜比古・戸ヶ里泰典・坂野純子編（有信堂高文社）
『人間にとって健康とは何か』斎籐環（ＰＨＰ新書）
『セルフ・コンパッションのやさしい実践ワークブックⅢ』ティム・デズモンド／中島美鈴訳（星和書店）

『触れるケア―看護技術としてのタッチング』堀内園子（ライフサポート社）
「否定的事象の経験と愛他性」安藤清志（東洋大学社会学部紀要）
「みやぎ心のケアセンター」http://www.grief-survivor.com/index.html
「日本災害医学会」https://jadm.or.jp/sys/_data/info/pdf/pdf000121_1.pdf

大下大圓
『空海の瞑想法』（マキノ出版）
『臨床瞑想法』（日本看護協会出版会）
『瞑想療法』（医学書院）
『実践的スピリチュアルケア』（日本看護協会出版会）
『いさぎよく生きる』（日本評論社）
『癒し癒されるスピリチュアルケア』（医学書院）
『3つの習慣で私が変わる』保坂隆／川畑のぶこ共著（日本看護協会出版会）

瑜伽行詳説

即身成仏観法入門

令和３年９月27日　初版発行

著　者・大　下　大　圓

発行者・林　田　剛　司

発行所・株式会社 青　山　社

〒567-0854大阪府茨木市島1-18-26
電　話　072-630-6201

印刷所・株式会社 遊　文　舎